TABLE DES MATIÈRES

HERBES ET PLANTES
du
JARDIN A LA CUISINE

© 2005 ANAGRAMME éditions
Dépôt légal 2e trimestre 2005
ISBN 2-914571-42-9

Imprimé en Espagne
par Impression Design
F-92100 Boulogne - 33 (1) 46 20 57 57

Edité par ANAGRAMME éditions
48, rue des Ponts
F-78290 Croissy sur Seine
33 (1) 39 76 99 43
anagramme.editions@free.fr

HERBES ET PLANTES
du
JARDIN A LA CUISINE

ANAGRAMME
éditions

HERBES ET EPICES

HERBES, ÉPICES, AROMATES, OIGNONS ET GOUSSES – ET DE NOMBREUX EXEMPLES D'UTILISATION POUR LA CUISINE

Il n'existe aucune délimitation précise entre les notions d'épices et d'aromates. C'est pourquoi l'on a tenté à diverses reprises de répertorier d'une manière simplifiée comme fines herbes les plantes aromatiques qui poussent en Europe, et comme épices dans un sens restreint les produits des régions tropicales. Mais les plantes aromatiques et leurs essences ne permettent pas une classification aussi simple. Que l'on pense seulement au cumin ou au paprika.

D'aucuns souhaiteraient que toutes les plantes aromatiques fraîches soient répertoriées comme fines herbes et que, par opposition, les plantes séchées et conditionnées soient considérées comme épices. Une telle classification n'en resterait pas moins ambiguë, sachant que de plus en plus de plantes aromatiques, que naguère l'on utilisait seulement fraîches, comme les oignons, le fenouil, le thym et le persil, sont désormais elles aussi disponibles sous la forme de produits séchés.

Avant tout, pour l'emploi en cuisine, une description aussi claire que possible du produit est souhaitable, et celle-ci doit convenir aussi bien à la cuisinière qui fait ses débuts devant son fourneau qu'à un cordon bleu aguerri. La première partie de cet ouvrage est consacrée avant tout à la description des herbes, épices, aromates, gousses. La seconde partie présente de nombreux exemples pour l'emploi des ingrédients aromatisants dans des recettes éprouvées pour la pâtisserie, les garnitures, les entremets et divers plats. Les herbes, épices, aromates et autres assaisonnements sont si nombreux et si divers qu'il serait dommage de se confiner uniquement à quelques mélanges d'assaisonnements ou à des additifs standard.

A chacun d'entreprendre à sa façon son exploration dans le monde lointain, souvent exotique et plein de mystère des herbes, épices, mélanges d'épices et sauces d'assaisonnement. Cependant, une condition particulière pour cela est que chaque produit d'assaisonnement ait seulement une fonction complémentaire et d'appoint bien spécifique.

HERBES

CE QUE L'ON ENTEND PAR « HERBES », COMMENT ON LES UTILISE ET COMMENT EN FAIRE LE MEILLEUR USAGE

Naguère on entendait par «herbes» toutes les plantes à feuilles, donc les légumineuses et les herbacées, à l'exclusion des raves et des tubercules. De nos jours on entend d'une manière générale par herbes les plantes médicinales, les plantes aromatiques et les plantes odorantes. Par herbes aromatiques ou herbes de cuisine, on entend toutes les plantes qui poussent dans nos régions et qui sont propres à être utilisées en cuisine pour influencer ou améliorer le goût. De même que pour les épices et aromates, les herbes ne doivent pas écraser le goût d'un mets. Les plats assaisonnés d'une manière idéale sont ceux auxquels les herbes ou les assaisonnements qui ont été ajoutés ne sont pas immédiatement décelables au goût.

Toutes les herbes crues dont on saupoudre les mets ou qui sont cuites ou préparées à l'etuvée avec celui-ci doivent être utilisées aussi fraiches que possible. Il convient de mettre aussitôt à tremper dans l'eau les bouquets d'herbes achetés dans le commerce (sans la ficelle). On cueillera les herbes de sa propre culture seulement au moment de les utiliser.

On ne laissera pas séjourner trop longtemps à l'air libre sans les utiliser les feuilles coupées ou les herbes hachées au préalable, sinon elles perdront leur arôme. La majeure partie des herbes utilisées communément existe dans le commerce soit sous la forme moulue soit en flocons ou en grains. Pour agrandir ou compléter son stock d'herbes fraîches et pour s'épargner du travail, des herbes toutes prêtes conviennent parfaitement. Les assaisonnements séparés ou mélangés doivent autant que possible être conditionnés dans des emballages hermétiques. La plupart des condiments moulus supportent mal l'exposition à l'air. Certains, comme par exemple le Curry, ne supportent pas d'être au soleil, aussi doivent-ils etre conservés dans des récipients opaques. On achètera les aromates qui ne seront utilisés que rarement, seulement en petites quantités, Car ils supportent mal un stockage de longue durée. Les épices moulues devront être conservées avec autant de soin que le café fraîchement moulu.

Il est intéressant de remarquer que la connaissance des aromates acquise au fil des siècles par nos grands-mères et nos arrière-grand-mères s'est perdue. Nombreux sont ceux qui de nos jours se limitent à connaître quelques épices et aromates courants et ignorent totalement comment bien les utiliser pour réussir leurs mets. Cela signifie-t-il que l'on a négligé les connaissances en matière d'épices et d'herbes aromatiques au profit de l'intérêt pour les calories et les vitamines, l'albumine, les glucides, les acides gras et les additifs? Ou bien serait-ce que chez d'aucuns il y ait des réminiscences inconscientes de la propagande anti-épices de l'époque de la pierre, lorsque primaient l'effort d'autarcie et l'hostilité à l'egard des importations? Pourtant ces toutes dernières années, les recherches des spécialistes ont permis de découvrir des vertus biologiques aux épices et aromates, ainsi que de vérifier un savoir qui remonte à la plus haute antiquité.

Tanaisie
(Chrysanthemum vulgare)

Estragon
(Artemisia dracunculus)

Estragon séché

Souci
(Calendula officinalis)

Coriandre
(Coriandrum sativum)

Houblon
(Humulus lupulus)

Bourrache séchée

Bourrache
(Borago officinalis)

Mélisse séchée

Basilic séché

Basilic *(Ocimum basilicum)*

Mélisse
(Melissa officinalis)

Menthe Bowles
(Mentha villosa aloêcuroides)

Menthe verte
(Mentha spicata)

Menthe à feuilles rondes
(Mentha rotundifolia)

Menthe d'eau-de-cologne
(Mentha citrata)

Menthe

Menthe verte séchée

Aspérule séchée

Sauge dorée
(Salvia officinalis aureum)

Aspérule odorante
(Asperula odorata)

Pimprenelle
(Poterium sanguisorba)

Sauge *(Salvia officinalis)*

Sauge séchée

Sarriette d'hiver

Laurier séché

Laurier *(Laurus nobilis)*

Persil
(*Petroselinum crispum*)

Thym séché

Persil séché

Thym commun
(*Thymus vulgaris*)

Thym citronné
(*Thymus citriodorus*)

Thym rampant
(*thymus azoricus*)

Ciboulette séchée

Verveine citronnée
(*Lippia citriodora*)

Ciboulette
(*Allium schoenoprasum*)

Marjolaine séché

Marjolaine
(Origanum majorana)

Origan (Origanum vulgare)

Origan séché

Livèche séchée

Livèche (Levisticum officinalis)

Romarin (Rosmarinus officinalis)

Fenouil bâtard
(*Anethum graveolens*)

Bergamote (*Monarda didyma*)

Racine de consoudre officinale

fenouil séché

Grains de fenouil

Trigonelle séchée

Trigonelle commune
(*Trigonella fœnum-graceum*)

Consoudre officinale séchée

Feuille de curry séchée

Consoudre officinale
(*Symphytum officinale*)

Capucine
(*Tropolaeolum majus*)

Curry (*Chalcas kœnigii*)

Camomille fraîche

Camomille séchée

Camomille *(Matricaria recutita)*

Cerfeuil
(Anthriscus cerefolium)

Angélique *(Angelica, spp.)*

Hysope *(Hyssopus officinalis)*

Cerfeuil séché

Achillée séchée

Fenouil séché

Achillée mille-feuille
(Achillea millfolium)

Fenouil
(Fœniculum vulgare)

Graines de fenouil

Achillée mille-feuille (*Achillea millefolium*)
C'est une plante qui croît à l'état sauvage en Europe; son goût ressemble à celui du cerfeuil, mais il est un peu plus amer. Elle peut être utilisée pour les salades.

Angélique (*Angelica officinalis; archangelica*)
Appartenant à la feuille des ombellifères (comme le persil), l'angélique provient vraisemblablement d'Europe du Nord. Toute la plante peut être utilisée, car même les racines produisent une drogue; mais on utilise plus couramment la tige, qui est confite par cuisson.

Aspérule odorante (*Asperula odorats*)
Originaire d'Europe, d'Asie et d'Afrique du nord. Les feuilles d'aspérule odorante sont utilisés dans la cuisine pour le boeuf à l'étuvée et le vin, en particulier le vin aromatisé allemand (Maiwein). Disponible dans le commerce sous la forme de feuilles.

Balsamite (*Chrysanthemum balsa-mita; Tnacetum balsamita*) **menthe-coq.**
La balsamite ressemble à la tanaisie, car elle est aromatique, mais moins amère. Originaire d'Extrême-Orient, mais les feuilles ont de tout temps été utilisées en Grande-Bretagne et en Amérique dans les brasseries, d'où également le nom anglais «alecost». Elle est utilisée pour le gibier, la viande de veau et les soupes, et le plus souvent elle est disponible dans le commerce sous la forme de feuilles séchées.

Basilic (*Ocimum basilicum*)
Cette herbe au goût très fort et pénétrant est originaire d'Inde, où elle fait l'objet d'une véritable vénération. Elle est très prisée en Italie, peut-être parce qu'elle s'accommode si bien avec les tomates; elle est également utilisée pour le pesto génois. On peut acheter le basilic séché, conservé dans l'huile, ou bien à la fin du printemps et en été.

Bergamote (*Nonarda didyma*)
Les feuilles fortement aromatiques de cette plante américaine appartiennent à la même famille que la menthe poivrée. On peut l'utiliser en salade mais elle sert principalement à la fabrication du thé Earl-Grey, des boissons glacées et des différentes sortes de cordial.

Bourrache (*Borago officinalis*)
Cette petite plante que l'on appelle souvent «herbe à concombres» est originaire du Moyen-Orient et elle possède de spendides fleurs bleues. Ses feuilles fraîches sont souvent utilisées en Angleterre dans les cocktails. Les feuilles émincées apportent à la salade de concombres, aux fromages blancs et aux yoghourts un goût aromatique.

Camomille (*Anthemis nobilis*)
C'est une plante qui ressemble à une petite plume d'oie et que l'on rencontre à l'état sauvage partout en Europe et dans certaines régions d'Amérique. A partir des feuilles et fleurs séchées, on prépare l'infusion à la camomille.

Capucine (*Tropaeolum majus*)
Cette plante cultivée pour ses qualités décoratives provient du Pérou. Les splendides fleurs de couleurs orangées et rouges ainsi que les feuilles au goût de poivre peuvent être utilisées en salades. On peut conserver les gousses et les employer comme des câpres.

Céleri (*Apium graveolens*) Les jeunes pousses et les feuilles fraîches ou bien les grains de cette plante sont utilisés pour assaisonner les potages et les étuvées, ainsi que pour aromatiser le sel.

Cerfeuil (*Anthriscus cerefolium*)
Originaire du sud de la Russie et du Moyen-Orient, cette plante ressemble au persil; dotée de feuilles pennées, c'est l'une des meilleures fines herbes de la cuisine française. Le cerfeuil est utilisé pour l'assaisonnement des soupes, salades et farces, de même que pour les garnitures. On le trouve dans le commerce sous la forme séchée, mais il est préférable de l'utiliser frais.

Chénopode fausse-ambroisie (*chenopodium ambrasiodes*), **Thé du Mexique**
On trouve le chénopode fausse-ambroisie à l'état sauvage dans toutes les régions d'Amérique et dans maintes régions d'Europe. Dans la cuisine mexicaine, il est utilisé comme verdure et en Europe comme infusion.

Ciboulette (*Allium schoenophasum*) La ciboulette originaire d'Europe appartient, comme l'oignon, à la famille des liliacées. Sa tige, haute et mince, sera hachée tandis que la plante est fraîche, pour être utilisée dans les soupes mélangées, les oeufs brouillés, les omelettes, les salades et les hors-d'oeuvre. La ciboulette chinoise (Allium odoratum) possède des feuilles plus grandes et des fleurs qui ont le parfum de la rose; elle a le goût d'oignon.

Citronnelle (*Cymbopogon citretus; C. flexuesus et C. nardus*)
Le nom générique englobe différentes espèces d'herbes, qui contiennent toutes des huiles essentielles et ont un goût de citron. Cette herbe aromatique est connue en Asie du sud-est, alors que dans certaines régions le citronnier ne pousse pas. On l'utilise pour parfumer les salades,

les poissons et les soupes. Sous sa forme moulue, cette herbe porte le nom de «poudre de Sereh». En Thaïlande et dans d'autres régions d'Asie méridionale, les feuilles de «Kaffir-limone» (Citrus hystrix) sont également employées pour les viandes.

Consoude officinale (symphytum officinale)

Cette herbe est apparentée à la bourrache et elle est employée de la même manière.

Coriandre (Coriandrum sativum)

Cette herbe ancienne appartenant à la même famille que les carottes est originaire du bassin méditerranéen et du Caucase, on la trouve en Amérique latine et sur les marchés chinois souvent sous le nom de «cilantro» ou persil chinois. En Inde, en Asie, au Mexique et en Amérique latine ainsi qu'au Moyen-Orient, elle est souvent utilisée fraîche (sous la forme de feuilles). Les graines sont employées avec le curry et pour aromatiser les boissons alcoolisées, comme par exemple le Gin. Les racines sont utilisées en Thaïlande dans les plats de curry.

Estragon (Artemesia dracunculus)

L'estragon est une herbe très aromatique, qui est apparentée à l'absinthe. Il existe deux espèces principales, l'estragon français et l'estragon russe; ce dernier a moins de goût et ses feuilles sont plus grosses. L'estragon français, qui est originaire d'Europe, est utilisé pour la sauce béarnaise et hollandaise, le poulet à l'estragon, le beurre de fines herbes, les soupes, les plats de poisson et les salades. Il est disponible à l'état frais, ou sous la forme de feuilles séchées ou de poudre.

Fenouil (Foeniculum Vulgare)

Le fenouil est une plante haute, originaire d'Europe et dotée de feuilles pennées et de graines jaunes. Longtemps il a été utilisé comme herbe d'assaisonnement pour le poisson et il pousse désormais à l'état sauvage dans le monde entier; mais il en existe également des cultures à usage commercial. Les feuilles peuvent être utilisées dans les salades et les farces, et l'on fait cuire les tubercules comme légumes. En Provence, il arrive fréquemment que l'on fasse flamber les bars et les brèmes sur une litière de tiges de fenouil séchées. Les graines ont un léger goût de réglisse.

Fenouil Bâtard (Anethum graveolens) Aneth

Originaire d'Europe et de l'ouest de l'Asie, le fenouil bâtard est maintenant cultivé dans le monde entier. L'herbe de fenouil (comme on l'appelle parfois) est le plus souvent utilisée pour les plats de poisson et pour l'assaisonnement des conserves. Il est également délicieux dans les soupes, les oeufs brouillés et les sauces. On peut également se procurer le fenouil bâtard sous la forme de grains ou de feuilles séchées. Les grains ont un goût plus fort et plus persistant.

Feuille de curry (Chalcas Koenigii) Apparentée au citronnier et originaire d'Asie méridionale, cette feuille apporte, à certaines poudres de curry disponibles dans le commerce, un goût typique. Dans tout le sud de l'Inde, elle est également utilisée pour les plats végétariens. Dans le commerce, on peut acheter les feuilles de curry soit fraîches soit séchées, mais les feuilles fraîches sont préférables.

Houblon (Humulus lupulus) Les feuilles de houblon sont bien connues comme étant l'aromate utilisé dans la bière; cette plante, grimpante comme la vigne, est originaire d'Europe. Les jeunes pousses sont utilisées comme légumes et elles peuvent également être servies en salade. Un oreiller rempli de houblon soulage, dit-on, les insomnies, de même que la tisane de houblon.

Hysope (Hysoppus officinalis)

Les feuilles de cette plante qui est également appelée «herbe de Joseph» ont un goût piquant et légèrement amer, et elles sont employées pour aromatiser les liqueurs, comme par exemple la bénédictine. Elles peuvent également être utilisées en petites quantités pour les salades et les étuvées. Dans le commerce, on peut se procurer l'hysope sous la forme de feuilles séchées.

Laurier (Laurus nobilis)

Ne pas confondre avec les variantes vénéneuses du laurier; il s'agit ici de la feuille du laurier, qui est originaire des régions méditerranéennes. Le plus couramment, on le trouve dans le commerce sous la forme de feuilles séchées. Mais il existe également du laurier pulvérisé. Il est utilisé pour aromatiser les viandes, le pudding au lait, les potages, les étuvées et les sauces blanches douces. Le laurier est également un des ingrédients du bouquet garni.

Livèche (Levisticum officinale), céleri perpétuel

Une grande plante comparable au céleri, originaire des régions méditerranéennes et qui produit une huile essentielle; celle-ci donne à la livèche son goût fort et aromatique. On utilise toute la plante; la tige et les racines peuvent être cuites comme le céleri ou confites comme l'angélique, les feuilles, les racines et les graines sont employées dans les salades, les potages et les sauces. Avec les graines on peut également parfumer les pâtisseries. La livèche est disponible dans le commerce sous la forme de graines entières séchées ou de racines.

Marjolaine *(Origanum majorana)*
Bien que le nom «marjolaine» englobe un grand nombre de plantes, dont la marjolaine sauvage (voir Origan) et la marjolaine de crête (Origanum anites), on entend normalement par «marjolaine» la marjolaine de culture. Elle peut être utilisée fraîche ou séchée pour les omelettes, les farces, les saucisses, les bouquets garnis, les viandes en sauce, les pommes de terre rissolées et les étuvés.

Mélisse *(Melissa officinalis)*
Les jeunes feuilles de cette plante originaire d'Europe sont utilisées dans les salades de légumes et de fruits, les vins aromatisés et les boissons mélangées, les potages et les sauces ainsi que comme infusion, ou encore chaque fois qu'un léger goût de citron est souhaitable.

Menthe *(Mentha, spp)*
Il en existe de nombreuses espèces différentes, mais du point de vue culinaire la menthe verte (Mentha spicata) et la menthe à feuilles rondes (M. rotandifolia) sont les plus importantes. La menthe verte est originaire d'Europe méridionale, et c'est la menthe de potager qui est communément utilisée pour la sauce à la menthe poivrée, la gelée à la menthe poivrée, les farces, les salades et pour aromatiser les boissons, comme par exemple le thé marocain à la menthe. La menthe à feuilles rondes a un goût fin. Les feuilles sont couvertes d'un léger duvet, et des espèces comme la menthe de Boules (M. Villosa slope curoides) sont recommandées pour toute les applications culinaires. La menthe à eau de Cologne (M. ci-

trata) ou menthe à l'orange, a un arôme plaisant et elle peut être ajoutée aux salades ou en été aux boissons glacées. Parmi les autres sortes de menthe, mentionnons notamment la menthe poivrée (M. piperita) qui sert à parfumer les bonbons et la crème de menthe, ainsi que la menthe romaine (M. longifolia), qui est utilisée pour le curry et le chutney.

Origan *(Origanum vulgare)* ou **marjolaine sauvage**
Cette herbe aromatique est utilisée depuis des siècles en Asie et en Europe et elle est aujourd'hui surtout prisée en Italie, où elle est employée dans la pizza. L'origan est également apprécié avec la tomate, le fromage, les haricots et les aubergines. Il en existe également de nombreuses variantes dans la cuisine grecque, qui sont regroupées sous le nom générique de rigam leurs fleurs sont employées pour garnir les viandes.

Persil *(Petroselinum crispum)*
Il est originaire du bassin méditerranéen et il en existe différentes sortes, comme le persil à feuilles lisses et le persil frisé, ainsi que le persil de Hollande, que l'on cultive pour ses racines similaires à celles du céleri. Le persil convient à des usages multiples, notamment pour la préparation des garnitures. Il fait partie du bouquet garni et des fines herbes, et accompagne les sauces et les farces. Le persil peut également être cuit pour accompagner les poissons. Dans le commerce on le trouve aussi bien frais que séché.

Petit boucage *(Pimpinella saxifraja; P. Sanguisorba)*
Originaire d'Europe, cette herbe ressemble par son goût à la bourrade, elle est utilisée pour les cocktails, la salade et les sauces.

L'idéal est d'employer les jeunes feuilles.

Pissenlit *(Calendula officinalis)*
Les feuilles frisées de cette fleur jaune d'or originaire d'Europe méridionale étaient utilisées au Moyen-Age dans la cuisine, aussi bien comme aromate que comme substance colorante pour les fromages, dans les pâtés et les gâteaux. De nos jours, le pissenlit est utilisé comme colorant et comme aromate dans les plats de riz, de viande et de poisson, ou encore dans les soupes et les salades. Dans le commerce les feuilles de pissenlit sont vendues séchées.

Rama *(Hibiscus sabdariffa)* Originaire d'Asie tropicale, le rama est cultivé pour ses sépales rouges pulpeux; ceux-ci sont utilisés pour les boissons et les conserves. Egalement connu sous le nom d'oxalide ou de for de jamorica, le rama est très populaire au Mexique, au Guatemala, en Inde Occidentale et en Asie Méridionale.

Romarin *(Rosmarinus officinalis)* Il est originaire des régions méditerranéennes et l'on peut le trouver à l'état sauvage presque partout en Europe et en Amérique. Ses feuilles dures et pointues contiennent de l'huile de camphre et elles sont employées pour aromatiser les viandes, la volaille et le poisson. On utilise rarement le romarin pour les salades ou les soupes autrement que sous la forme de poudre, car une partie de ses qualités se trouvent alors atténuée. Dans le commerce, on le trouve frais, ou sous la forme de feuilles séchées ou en poudre.

Sarriette de jardin *(Satureja hortensis)* et sarriette d'hiver (s. montana) Ces deux espèces se ressemblent fortement et sont saisonnières, encore que, de l'avis de maints cuisiniers, la sarriette d'hiver ait un goût moins fin que la sarriette de jardin, qui est annuelle. Il s'agit d'herbes très aromatiques qui améliorent le goût des mets gras et lourd.

Sauge (*Salvia officinalis*) Originaire des régions septentrionales de la méditerranée, la sauge est une plante bien connue, dotée de feuilles duvetées et dont le goût est très aromatique. La couleur des feuilles et le goût varient fortement. La sauge potagère est employée pour les farces, en particulier pour la viande de porc et de canard, et elle peut être servie en petites quantités avec les viandes et les étuvées, bien qu'elle ait tendance à étouffer les nuances subtiles de goût.

Tanaisie (*Chrysanthemum vulgare*) Une herbe européenne, qui était autrefois souvent utilisée avec les oeufs brouillés et les poissons. La tanaisie est un ingrédient du boudin irlandais, le **drisheen.**

Thym (*Thymus vulgaris*) Une des fines herbes les plus populaires et les mieux connues. Il existe différentes variantes de cette plante du bassin méditerranéen; le thym commun (thymus vulgaris); le serpolet à feuilles étroites (T. serpyllum); le thym citronné (T. citriodones), qui a un léger goût de citron, comme son nom l'indique; et bien d'autres. Le thym peut être employé pour aromatiser les étuvées, les rôtis et les farces de volaille.

Trigonelle fenugrec (*Trigonelle foenum graecum*)
La trigonelle trouve ses origines en Europe méridionale dans le bassin méditerranéen. Son nom latin signifie «foin grec»,

et les feuilles sont utilisées dans les plats de curry ou comme légumes; les très jeunes feuilles peuvent également être servies en salade. Les grains sont moulus pour être utilisés comme épices.

Verveine (*Aloysia citriodora*) Cette herbe est originaire d'Amérique du sud et elle fut introduite en Europe par les Espagnols. Elle apporte aux boissons et aux salades un léger goût de citron. Dans le commerce, on la trouve à l'état frais ou séché.

Verveine officinale (*Verbena officinalis*)
Cette vieille herbe européenne, que l'on confond souvent avec la verveine odorante, est principalement utilisée comme tisane. On la trouve dans le commerce sous la forme de feuilles séchées.

Achillea millefolium
ACHILLÉE MILLE-FEUILLE
Répartition géographique :
Europe
Plante sauvage
Récolte :
juin-septembre
Partie utilisée :
fleurs/tiges fines

Acorus calamus
ACORUS
acore, jonc odorant
Répartition géographique :
Europe
Plante sauvage
Récolte :
septembre-octobre
Partie utilisée :
rhizomes

Le rhizome rampant et persistant de couleur brun clair de l'achillée donne au début de l'année des feuilles radicales épaisses, crépues et larges, puis la tige. A l'extrémité supérieure de la tige, les fleurs sont réunies en une inflorescence très fournie en grappes ombelliformes. Les boutons sont garnis de folioles involucrales d'un vert jaunâtre clair ou brun clair. Les fleurs radiales sont blanches et les fleurs de l'épicentral présentent des couleurs variant depuis le blanc jusqu'au rouge clair et au rouge foncé. Les fruits sont oblongs et d'un gris argenté. La période de floraison s'étend de début juin jusqu'aux premières gelées, à la fin de l'automne. L'achillée pousse à l'état sauvage en Europe. Son goût ressemble à celui du cerfeuil, mais il est un peu plus amer. L'achillée est utilisée en salade.

Le jonc odorant atteint 1,50 m de haut. Il est vraisemblablement originaire de l'Himalaya. Son rhizome rampant émet de nombreuses racines adventives et mesure 3 cm d'épaisseur et 50 cm de long. Une fois cueillis, les rhizomes sont épluchés à une température normale, coupés en tranche et séchés. Les racines non épluchées du jonc odorant sont très aromatiques et ont un goût amer. Les rhizomes séchés et réduits en poudre agrémentent le goût des desserts et des compotes dans les cuisines indiennes et arabes. Les feuilles très jeunes sont utilisées pour préparer une salade appétissante. Le jonc odorant est également employé pour la fabrication de liqueurs amères. On le rencontre à l'état sauvage dans les champs de semi-culture car il est dans son milieu naturel. On peut le multiplier par de petits morceaux de rhizome de 5 à 10 cm de long. Ceux-ci doivent être mis en terre à environ 10 cm de profondeur. Les rhizomes de 2 ou 3 ans d'âge produisent le meilleur aromate.

Allium schoenoprasum
CIBOULETTE
Répartition géographique :
Europe
Semis :
toute l'année
Récolte :
toute l'année
Partie utilisée :
tiges

La ciboulette européenne appartient à la famille des liliacées. Les tiges creuses sont utilisées fraîches et émincées. La ciboulette chinoise (Alhum odoratum) possède des feuilles plus grandes, des fleurs qui dégagent un parfum de rose, et elle a le goût d'ail. La ciboulette se prête à toutes sortes d'utilisations et elle est facile à cultiver, non seulement dans le jardin, mais également en caissettes ou en pots. Dans la mesure ou elle ne craint pas le froid, on peut la cultiver et la récolter tout au long de l'année. Il faut cependant prendre soin de l'arroser régulièrement, de lui donner de l'engrais, et de ne pas couper les feuilles au ras du sol. La règle veut que l'on récolte la ciboulette seulement au moment de l'utilisation. Elle ne sert pas seulement comme aromate, mais également pour agrémenter un grand nombre de plats dans la cuisine froide comme dans la cuisine chaude. La ciboulette ne doit pas être cuite, et lorsqu'elle est servie avec des plats chauds, elle doit être ajoutée en dernier, directement dans l'assiette. On peut la mélanger au fromage blanc, l'étaler sur une tartine beurrée, l'ajouter aux recettes à base d'oeufs, aux salades, aux sauces froides ainsi qu'aux pommes de terres cuites. En hiver, la ciboulette à pour avantage d'apporter à l'organisme une grande quantité de vitamine C. Elle est très résistante au froid et a une grande longévité. Après trois ou quatre ans, il convient de diviser les touffes et de les transporter par petits groupes. Le semis prendra bien sur un rebord de fenêtre chauffé.

Anethum graveolens
FENOUIL BATARD
aneth
Répartition géographique :
Europe
Semis :
mars-mai
Récolte :
été/automne
Partie utilisée :
feuilles/grains

Le fenouil bâtard est originaire du sud de l'Europe. Toutes les parties de la plante ont un arôme épicé, mais ce sont les jeunes feuilles qui donnent le goût le plus fin.
Le fenouil ne sert pas seulement comme aromate, mais également pour agrémenter un grand nombre de plats dans la cuisine froide comme dans la cuisine chaude. C'est ainsi que le fenouil est utilisé pour les soupes, les oeufs brouilleés et les sauces. Cependant il ne faut pas l'utiliser avec d'autres condiments. Le fenouil bâtard est une plante annuelle et si vous voulez disposer de fenouil tout au long de l'année, il est conseillé de procéder à l'ensemencement par semis successif à partir du début du printemps jusqu'en juillet. Vous pouvez aussi vous procurer le fenouil bâtard sous la forme de grains ou de feuilles séchées. Il est également possible de congeler le fenouil. Frais ou séché, le fenouil ne doit être ajouté aux plats chauds que juste avant de les servir.

Angelica archangelica
ANGELIQUE VRAIE
Répartition géographique :
Europe du Nord
Semis :
printemps
Récolte :
été/septembre
Partie utilisée :
tiges/grains

Anthemis nobilis
CAMOMILLE
Répartition géographique :
Europe
Plante sauvage
Récolte :
été
Partie utilisée :
fleurs

L'angélique vraie appartient, comme le persil, à la famille des ombellifères. C'est une plante bisannuelle qui atteint 2,50 m de haut. A l'état sauvage, elle croît le long des cours d'eau et dans les prairies humides. Durant la première année, se développe une petite rosette de feuilles, et dans la deuxième année, apparaissent de grandes feuilles et une hampe creuse, plus longue et cannelée, pourvue d'ombelles quadruples. Les fleurs blanches de l'angélique s'épanouissent de juillet à août; les fruits sont des akènes oblongs. Toutes les parties de la plante ont un arôme épicé, et un goût qui apparaît d'abord douceâtre puis légèrement amer. Toute la plante est utilisée comme condiment, car même les racines produisent une drogue. Cependant, on utilise surtout la tige confite et cuite.

Dans certains pays nordiques, l'angélique est consommée comme légume. Les jeunes tiges peuvent être bouillies et préparées en salade. Accompagnée d'autre condiments, l'angélique est servie dans les potages, les sauces et les salades. L'angélique confite sert à agrémenter les tartes, et cuite dans le sucre, elle est employée comme dessert. Les grains sont utilisés pour la fabrication de différentes liqueurs digestives et apéritives. Dans l'industrie cosmétique, l'angélique entre dans la composition de la pâte dentifrice.

La camomille est une plante annuelle. La tige fortement ramifiée atteint 20 à 50 cm de haut. Les feuilles sont bipennées. Les boutons sont pourvus de pétales blancs. La nuit, ou par temps de pluie, ceux-ci se rabattent vers le bas; les boutons sont jaunes. Le parfum de la camomille est épicé, mais son goût est légèrement amer. La floraison s'étend de juin à septembre. La camomille croît souvent à côté des céréales, ainsi que dans les champs de pommes de terre et de raves. La camomille qui pousse dans les champs de céréales est celle qui possède les plus grandes vertus curatives. Beaucoup de maîtresses de maison utilisent également la camomille pour désodoriser leurs cuisines. Durant la saison chaude, on éliminera par exemple l'odeur putride de la viande crue en la lavant avec une infusion froide à la camomille; de même pour les odeurs désagréables de la vaisselle et des couverts. De nos jours, on retrouve des extraits de camomille dans de nombreux produits pharmaceutiques. On cueille seulement les boutons à l'époque de la floraison. Les bourgeons et les fines feuilles pennées, ainsi que les parties supérieures de la tige, les plus jeunes et les plus tendres, peuvent être utilisées. Par temps humide ou brumeux, la camomille secrète deux fois moins d'huile, c'est pourquoi il convient de la cueillir seulement par temps très ensoleillé. Après séchage, les parties cueillies peuvent avoir tendance à se décomposer. Elles doivent être conservées dans un endroit sec, car à l'humidité, la camomille perd toutes ses qualités.

CERFEUIL

Répartition géographique :
Europe, Russie
Semis :
printemps
Récolte :
éte/août-septembre
Partie utilisée :
feuilles/grains

Le cerfeuil est une plante annuelle, et souvent bisannuelle qui atteint 70 cm de haut. Le cerfeuil est originaire du sud de la Russie, du Caucase et de l'Asie occidentale. L'aspect du cerfeuil ressemble à celui du persil. Cependant, le cerfeuil a un arôme plus délicat. Les fleurs sont assez décoratives. Il préfère une terre relativement légère et a besoin d'un peu d'ombre. Lorsque l'on veut le semer soi-même, l'idéal est au tout début du printemps. La récolte peut avoir lieu à partir de l'hiver. Pour disposer de cerfeuil tout au long de l'année, il est conseillé de procéder à l'ensemencement par semis successifs à partir du début du printemps jusqu'à l'automne. Pour cueillir les feuilles, il convient de tailler au ras du sol. L'ideal est d'effectuer la taille entre six et huit semaines après les semailles. Le cerfeuil ne supporte pas la transplantation. Cette herbe, qui est une des plus raffinées de la cuisine française, est utilisé pour assaisonner les soupes et les salades, ainsi que dans les farces et les garnitures. Le cerfeuil est également disponible séché, mais chaque fois que cela est possible, il est préférable de l'utiliser frais. En prévision de l'hiver, on conserve le cerfeuil à l'état frais dans le réfrigérateur. Il existe du cerfeuil haché ou coupé en fines lamelles, qui sera utilisé, par exemple, avec le persil, l'estragon et la ciboulette dans les omelettes. Le cerfeuil se prête cependant bien à l'assaisonnement des légumes crus, et aussi de la viande de mouton, du poulet rôti et du poisson grillé. La soupe de cerfeuil est également très réputée.

CELERI

Répartition géographique :
Amérique, Europe
Semis :
printemps
Récolte :
hiver/septembre-octobre

Le céleri est surtout connu comme légume et est employé avec les carottes, les poireaux et le persil comme verdure dans les potages ou pour relever le goût des rôtis; le tubercule est également souvent employé pour les salades. Le céleri est une plante bisannuelle. Le fruit est globuleux. La floraison a lieu de juillet à septembre. Tandis que le céleri sauvage n'a aucune valeur, le céleri de potager, non seulement n'est pas suspect de contenir des substances toxiques, mais il jouit également de la réputation d'être une précieuse plante médicinale. Les jeunes plantes et leur feuilles, ou les graines de cette plante seront utilisées pour assaisonner les soupes et les étuvées, ainsi que pour aromatiser le sel. Ces dernières années, le céleri en tige ou céleri blanc, qui ne développe qu'un petit bulbe et dont la tige est utilisée blanchie ou crue en salade, est devenue très prisé. Le rhizome a une odeur épicée. Le céleri de potager a un goût épicé prononcé, mais une fois bouilli, il devient doux et agréable. Les tubercules, ainsi que la tige et les feuilles, contiennent de précieuses substances, dont les alcaloïdes (apïine), des huiles essentielles, et toutes sortes de glucosides, des substances minérales — calcium, natriumedhlore — ainsi que des vitamines A, B, C et D. Outre le bulbe, on utilise également les feuilles comme épice. Les feuilles, détachées des parties renflées de la tige conservent leur arôme une fois séchées, et elles se prêtent bien à la conservation pour l'hiver. Dans le commerce, on peut se procurer le céleri sous la forme de sel de céleri, ou bien congelé dans des mélanges d'épices, ou encore séché comme verdure pour la préparation des potages.

Artomisia abrotanum
AURONE
Citronnelle garde-robe
Répartition géographique :
Europe du Sud-Est
Plante sauvage
Récolte :
printemps
Partie utilisée :
feuilles

L'aurone est originaire des régions d'Europe méridionale jusqu'à l'Asie mineur. C'est un sous-arbrisseau vivace, qui de nos jours croît également sauvage en Espagne et en Italie. Bien qu'elle provienne des régions chaudes, en Europe centrale, l'aurone continue de donner des fleurs jusqu'en automne. Elle ne produit bien entendu pas de graines germinatives. C'est pourquoi sa propagation se fait par la division de toutes les tiges. Durant la période de repos végétatif, on taille les anciennes branches, ce qui apportera à la plante la vigueur nécessaire pour produire au printemps de nouvelles pousses abondantes. Les feuilles fraîches, mais aussi les feuilles séchés, pourront être employées comme condiment. Elles sont aromatiques, dégagent un parfum de citron et, à l'instar des feuilles des autres espèces du genre armoise, elles sont amères. En Allemagne, l'aurone est pratiquement inconnue comme plante aromatique. Dans les pays méridionaux comme l'Italie et l'Espagne, elle est cependant utilisée, par exemple dans différentes pâtisseries. En France, on l'appelle la citronnelle «garde-robe» parce qu'au temps jadis son parfum servait à chasser les mites des vêtements.

Artemisia dracunculus
ESTRAGON
Répartition géographique :
Europe
Semis :
automne/printemps
Récolte :
été
Partie utilisée :
feuilles

L'estragon est un sous-arbrisseau vivace à feuillage glabre, qui atteint 60 cm à 1,20 m de haut. Les feuilles sont indivises. Les boutons sont pratiquement sphériques, les fleurs extérieures sont femelles, les fleurs radiales sont hybrides et stériles, et la couronne est jaune. La multiplication se fait par éclats de tiges ou par leur division. Le parfum de la plante est aromatique et son goût agréable. La période de floraison s'étend de mai àjuillet, selon le lieu et les conditions météorologiques. La plante demande un bon ensoleillement; elle ne supporte pas l'ombre, le temps frais et l'humidité. En Europe méridionale, l'estragon se présente souvent à l'état sauvage. Dans nos régions, on le cultive comme plante aromatique dans les jardins et les potagers. Comme aromate on utilise les jeunes pousses ou les feuilles, qui peuvent être récoltées plusieurs fois l'an. Il convient de retailler des tiges lorsqu'elles atteignent 20 à 30 cm de haut, avant que les bourgeons s'épanouissent. A ce stade la teneur en huiles essentielles y est plus élevée. L'estragon sert à la préparation du vinaigre de vin, il entre dans la composition de la moutarde à l'estragon, et est utilisé également pour confire les cornichons. Il est employé également pour la préparation de plats comme les volailles, le riz et les poissons pochés. C'est un des ingrédients de la sauce béarnaise et de maintes autres sauces.

Artemisia vulgaris
ESTRAGON, ARMOISE COMMUNE
Herbe de Saint-Jean, herbe à cent goûts, tabac de Saint-Pierre
Répartition géographique :
hémisphère Nord
Semis :
printemps
Récolte :
juillet/août
Partie utilisée :
feuilles/fleurs

L'armoise commune est une plante herbacée vivace appartenant au genre des composées et qui atteint 2 mètres de haut. Elle se présente à l'état sauvage sous maintes formes différentes mais qui se ressemblent beaucoup entre elles, dans toutes les plaines de moyenne montagne des régions nordiques. L'armoise commune se cultive facilement par ensemencement. Pour ce qui est du sol, elle n'est pas exigeante. On la trouve souvent à l'état sauvage sous la forme de touffes d'herbe, d'arbrisseaux ou de buissons en bordure des chemins. Les feuilles, à bords lisses, sont divisées ou pennées et elles dégagent un parfum aromatique. Les petits capitules comportent quelques fleurs à fond blanc-rougeâtre, qui se regroupent en inflorescences. Pour pouvoir utiliser l'armoise commune comme condiment, il faut au préalable avoir récolté les jeunes pousses, et ce avant la floraison. Dès que les petites inflorescences s'épanouissent, la teneur en substances amères augmente considérablement. En pleine floraison, la plante est inutilisable comme condiment. Les pousses seront mises à sécher et détachées de leurs tiges, puis conservées dans un verre. De cette façon, l'aromate gardera longtemps son parfum agréable. L'armoise commune est utilisée pour l'assaisonnement des viandes rôties, tout particulièrement les rôtis d'oie et de canard, et aussi pour les viandes de porc et de mouton, ainsi que l'anguille pochée. En Espagne, l'armoise est appréciée pour l'assaisonnement des soupes à l'oignon et des potages de légumes, ainsi qu'avec le poisson et les soupes de poissons. Elle s'accommode également bien en salade. L'armoise commune a un goût épicé et assez amer, son parfum et son goût rappellent ceux de l'absinthe. L'armoise est la meilleur herbe aromatique pour qui a l'estomac sensible. Accommodée avec des mets gras, elle les rend plus digestes. Pour cela, il convient de veiller à ne faire cuire que les panicules de fleurs, sans les feuilles. On récoltera ces panicules juste avant que les bourgeons s'épanouissent, en juillet — août. Les feuilles sont amères et immangeables.

Asperula odorata
ASPERULA ODORANTE
petit muguet
Répartition géographique :
Europe, Asie, Afrique
Plante sauvage
Récolte :
avril-juin
Partie utilisée :
toute la plante

L'aspérula odorante est originaire d'Europe, d'Asie et d'Afrique du Nord. Le rhizome rampant est vivace et d'un brun roux. La tige quadrangulaire atteint 10 à 30 cm et porte dans sa partie basse des verticilles sextuples et dans le haut des verticilles octuples. Chaque feuille est lancéolée; son arête est légèrement duvetée et elle est acaule. Les fleurs sont disposées en cygnes en forme de rosace; elles sont blanches et campanulées. Les fruits se composent de petites noisettes ressemblant à la bardane. Le parfum, spécifique à cette plante, est dû à la coumarine qui est secrétée non seulement dans les fleurs, mais également dans toute la plante. La période de floraison s'étend de mai à la mi-juin. On peut l'acclimater dans les endroits ombragés d'un jardin. L'aspérula odorante est connue surtout comme ingrédient pour la préparation du vin aromatisé.

Borage officinalis
BOURRACHE
Répartition géographique :
Moyen-Orient
Semis :
printemps
Récolte :
juin-septembre
Partie utilisée :
feuilles/fleurs

La bourrache est une plante annuelle originaire du Moyen-Orient. Cette plante qui atteint 30 à 50 cm de haut est pourvue d'une tige grasse, ronde et herissée de poils. L'odeur de la plante ressemble sensiblement à celle de l'oignon, et son goût est épicé. La période de floraison s'étend de juin à août. La bourrache se présente à l'état sauvage, dans les champs en jachère, les décombres, avec une prédilection pour les sols riches en nitrates de potasse. Cette herbe de cuisine très prisée est souvent cultivée dans les potagers et les jardins. La bourrache est une plante annuelle, douée d'une grande résistance, et qui croît sur un sol ordinaire. L'ensemencement a lieu au printemps. Là où elle pousse, elle se reproduit généralement spontanément. Pour l'assaisonnement, on utilise les jeunes feuilles fraîches. A cette fin, on commence par émincer les feuilles pour éliminer les poils dont elles sont hérissées. La bourrache se prête particulièrement à l'assaisonnement des salades de concombres, mais on peut également l'employer avec d'autres salades. En Italie, on l'utilise pour garnir les raviolis, et on la prépare également comme les épinards. La bourrache sert à la préparation du beurre de fines herbes, de la crème aux herbes, du fromage et du yoghourt. Elle apporte aux boissons fraîches un goût de concombre, et les feuilles de bourrache servent à aromatiser le vinaigre.

Calendula officinalis
SOUCI
Répartition géographique :
Europe du Sud, Orient
Semis :
printemps
Récolte :
été
Partie utilisée :
feuilles/fleurs

Le souci est originaire d'Europe méridionale et d'Orient. C'est une plante annuelle que l'on cultive par un ensemencement en début d'année. Les inflorescences se trouvent aux extrémités des branches. La tige atteint 60 cm de haut. Elle est très ramifiée et pourvue de poils clairsemés.
Les feuilles sont alternées et dotées de poils fins. Les boutons sont d'un jaune orangé et ont un diamètre atteignant 4 cm. La période de floraison s'étend de juin jusqu'à la fin octobre. Le souci ne prospère que dans les jardins protégés. On recueille les fleurs externes labiées, qui forment deux ou trois couches de rayons (on les cueille sur l'inflorescence en fleur.) Pour conserver leurs couleurs il convient de les sécher rapidement et de les placer à l'ombre. Les pétales secs doivent être placés dans des endroits sombres, secs et aérés, ou bien dans des récipients bien étanches. Les fleurs du souci sont également utilisées dans l'industrie pharmaceutique. Les pétales de cette fleur d'un jaune d'or originaire d'Europe méridionale étaient utilisées au Moyen-Age dans la cuisine aussi bien comme condiment que comme substance colorante pour le fromage, les pâtés et les gâteaux. De nos jours, les soucis sont cultivés comme colorants et comme aromates pour le riz, les viandes et les poissons, ainsi que dans les soupes et les salades.

Chrysanthemum majus
BALSAMITE

Répartition géographique :
Europe centrale, Amérique
Semis :
printemps
Récolte :
été
Partie utilisées :
feuilles

Coriandrum sativum
CORIANDRE

Répartition géographique :
Bassin méditerranéen
Semis :
mars-mai
Récolte :
été / septembre-octobre
Partie utilisées :
feuilles / grains

La balsamite est originaire d'Asie mineure; c'est une plante vivace qui dans un jardin supporte bien l'hiver. Les feuilles deviennent particulièrement vigoureuses lorsqu'on taille la grande hampe florale ramifiée. La multiplication est facile à effectuer dès que l'on a un peu la main; il suffit de tailler les plus grosses tiges au printemps ou en automne. Après avoir cueilli les feuilles situées dans la partie basse, celles qui ont les pétioles les plus longs, on coupe les tiges des feuilles et on les étend à une température moyenne pour les faire sécher dans un endroit aéré. Les feuilles séchées, débarrassées de leurs tiges ou broyées, seront ensuite conservées dans les récipients bien hermétiques. En raison de son fort arôme, la balsamite ne doit être utilisée qu'à faibles doses. Comme condiment, on emploie les grandes feuilles membraneuses qui dégagent un agréable parfum de menthol. Elles sont utilisées fraîches ou séchées pour l'assaisonnement des soupes et salades, pour farcir les viandes grasses, les volailles et le gibier. La balsamite est particulièrement recommandée pour la viande de veau, ainsi que pour les omelettes à l'allemande. En étudiant la balsamite, on s'aperçoit que celle-ci porte différentes dénominations. Aux Etat-Unis on l'appelle «feuille de bible» car les premièrs colons utilisaient ses longues feuilles comme signets dans leurs bibles. En Angleterre, on aromatisait la bière avec de la balsamite, d'où le nom «Alecost». Le nom allemand «Marienblatt» (feuille de la vierge) est l'équivalent du nom anglais «Costmary».

La coriandre est une plante cultivée annuelle ou bisannuelle. Elle est originaire des régions orientales du bassin méditerranéen. En Europe, elle se présente à l'état sauvage. Les feuilles fraîches broyées ont l'odeur de punaise ecrasée, d'où le nom allemand d' «herbe à punaises». Les fruits mûrs dégagent un arôme doux et épicé. A la floraison, cette ombellifère acquiert la délicate couleur violacée de la lavande. Elle mesure 45 à 60 cm de haut et la floraison a lieu à la fin de l'été. Une fois que les premiers grains sont mûrs, on taille la plante comme pour le cumin. Les régions de culture sont la Hongrie, la Roumanie, la Russie. et le Maroc. Dans le commerce, on trouve la coriandre soit entière soit moulue. Elle est employée pour parfumer le pain ainsi que dans les mélanges d'épices pour les saucisses et les pâtisseries. La coriandre est très prisée en Amérique du Sud. C'est également un ingrédient important dans la poudre de curry. La coriandre, qui dans nos pays est également utilisée pour les pains d'épices et les spéculoos, entre dans la composition des mélanges d'épices. Les jeunes feuilles fraîches de la plante peuvent être utilisées comme condiment ainsi que dans les salades de légumes. La coriandre est également employée pour donner un goût aux boissons alcoolisées. Elle est ajoutée également dans la préparation du fromage mou et doux ainsi que dans les flancs.

FENOUIL

Répartition géographique :
Europe du Sud
Semis :
printemps
Récolte :
été/septembre
Partie utilisée :
tiges/feuilles/grains

Le fenouil est une racine bisannuelle qui développe une tige haute, lisse, ronde, bleuâtre, finement cannelée et noueuse. Les feuilles sont d'un vert bleuâtre et les folioles linéaires. Les grandes ombelles sont d'un jaune d'or, sans involucres. Les fruits légèrement aplatis sont munis de nervures dans le sens de la longueur. La floraison s'étend de juillet à octobre et la maturation des graines de septembre jusque vers la fin octobre. La première année, les jeunes plants doivent être clairsemés et recouverts de terre. En automne on les taille.

Au printemps suivant, les plants seront repiqués avec un espace de 40 cm. Les fruits ne mûrissent pas tous uniformément. Sur un même plant, ils peuvent se trouver à des stades de développement différents. On ne récoltera que les parties brûnatres, celles qui sont arrivées à maturité. On fera sécher progréssivement le produit de la récolte, car les fruits se détachent facilement de leurs ombelles. Durant le séchage, la température ne doit pas dépasser 35°C. On cultive le fenouil en France, en Allemagne, en Itahie, en Pologne et en Roumanie, ainsi qu'en Asie, en Russie, en Chine, au Japon et en Amérique du Nord et du Sud. On le trouve dans tous les potagers. Les feuilles de fenouil peuvent être utilisées en salade et dans les farces. Emincées, elle agrémenteront les soupes et sauces de poisson. Une espèce spéciale, pourvue d'un bulbe renflé (Finocchio) est utilisée comme légume en Italie et aussi en Allemagne. Les fruits sont employés de la même façon que l'anis, pour parfumer le pain, saupoudrer les pâtisseries, conserver les cornichons et les légumes, ainsi que comme garniture dans les plats de légumes. Les Italiens saupoudrent de fenouil réduit en poudre la viande grillée. La tisane de fenouil est un remède populaire connu contre les maux d'estomac et les gaz. Dans l'industrie pharmaceutique on mélange l'huile de fenouil avec du miel pour fabriquer des bonbons contre la toux.

HOUBLON

Répartition géographique :
Europe
Semis :
printemps
Récolte :
début été/septembre Partie utilisée :
tiges/fleurs

Le houblon est originaire d'Europe et d'Asie orientale. C'est une plante dioïque et grimpante qui s'accroche aux buissons et aux arbres — ou sur de hauts supports de trois à huit mètres de haut — et qui se ramifie par vrilles successives. Les feuilles, ainsi que les sarments, sont rêches et dures. Les fleurs mâles sont des panicules pendantes, les fleurs femelles sont renfermées dans des chatons. Le cône qui se développe à partir de la fleur femelle est pendant, oviforme et d'un vert jaunâtre. A l'intérieur des écailles se trouvent des glandes d'une couleur jaunâtre à rougeâtre, qui donnent au houblon son goût amer caractéristique. Les espèces cultivées produisent des pédoncules qui sont stériles, sans ramification. La multiplication s'ensuit, par la voie végétative. La floraison s'étend de juillet à septembre, les fruits parvenant à maturation en septembre. Le houblon est une plante vivace, mais seules survivent pendant l'hiver les racines, qui au printemps de chaque année produisent de nouvelles pousses. La multiplication se fait par bouturage. Etant une herbe de cuisine très prisée, le houblon est souvent cultivé en potager ou dans les jardins. Les ombelles en forme de cône du houblon sont utilisées pour parfumer la bière, car elles contiennent des résines et des substances amères. On les récolte en automne; puis elles sont séchées et traitées par les brasseries. Le houblon sert également à conserver la bière. Les connaisseurs savent que l'on peut accommoder les jets de houblons pour faire d'excellentes salades. La tisane de houblon a une action calmante et soulage les douleurs d'estomac.

Hyssopus officinalis
HYSOPE VRAIE
Répartition géographique :
Bassin méditerranéen, Asie
Semis :
printemps
Récolte :
juin-septembre
Partie utilisée :
feuilles/fleurs

Laurus nobilis
LAURIER
Répartition géographique :
Bassin méditerranéen
Semis :
mai-juin
Récolte :
toute l'année
Partie utilisée :
feuilles

L'hysope est un sous-arbrisseau qui atteint une hauteur d'environ 70 cm. Elle comporte quelques rameaux montants ou verticaux. Les feuilles sont à peu près glabres, lancéolées, à bords lisses, arrondies à l'extrémité ou à peine pointues. Les deux côtés de la feuille comportent des glandes de résine. Les fleurs sont d'un bleu vif, souvent roses ou encore blanches, et elles sont groupées en de gros épis tout en longueur. L'hysope n'a pas d'exigences particulières, si ce n'est qu'elle préfère les endroits ensoleillés et les sols résistant au froid. La plante est très parfumée et son goût est très épicé et légèrement amer. La floraison a lieu en juillet-août. L'hysope est une plante mellifère. Elle fleurit à la fin de l'été et c'est à cette époque également qu'elle est récoltée; on taille alors les parties en fleurs et qui ne sont pas encore devenues ligneuses. Comme l'hysope contient une huile essentielle, la température de séchage ne doit pas dépasser 35°C. La multiplication peut s'effectuer par semis ou par une division des anciennes pousses. L'hysope préfère les sols chauds et secs, et l'on peut sans problème la cultiver dans nos jardins. L'hysope n'est vraiment sensible qu'aux mauvaises herbes; c'est pourquoi l'environnement de la plante doit toujours être débarrassé des mauvaises herbes. Comme l'hysope fatigue beaucoup le sol, il convient de ne pas laisser la plante plus de deux ans au même endroit, la troisième année, on la repiquera dans un autre endroit.

Cet abrisseau semper virens pousse dans toutes les régions méditerranéennes. Il possède des feuilles coriaces, dont les aisselles comportent de petites fleurs femelles qui se transforment en drupes d'un bleu tirant sur le noir. Les feuilles bisannuelles, qui atteignent 10 cm de long et 3 cm de large sont récoltées en automne. Ensuite, on les fait sécher à l'ombre en couches minces afin qu'elles ne perdent pas leur parfum. Celui-ci est produit par une huile essentielle, qui contient de la pinine, du cinéol et de la cinine. Les feuilles de bonne qualité doivent être débarrassées de leur pétiole et sont d'une couleur vert clair; les feuilles grises ou carrément d'un brun sombre sont de moindre qualité. Ordinairement on achète dans le commerce les feuilles séchées; cependant, il existe également du laurier en poudre. Les feuilles de laurier réduites en poudre sont utilisées pour assaisonner les viandes, les puddings, les étuvées et les sauces blanches douces. Le laurier est également un des ingrédients du «bouquet garni». On emploie surtout les feuilles de laurier fraîches dans les marinades pour accommoder la viande, les légumes relevés et les champignons, ainsi que pour les poissons bouillis et les sauces à la crème. En petites quantités, on peut également ajouter des feuilles de laurier dans les soupes, la goulache et l'aspic. De petits lauriers sont également cultivés en baquet. La multiplication se fait par semis, lequel peut commencer à germer aussitôt après la maturation des fruits, ou encore par un marcottage des rameaux.

Lavendula angustifolia
LAVANDE
Répartition géographique :
Bassin méditerranéen
Semis :
printemps
Récolte :
septembre
Partie utilisée :
fleurs

La lavande est un arbuste originaire du bassin méditerranéen. Son parfum agréable et ses belles fleurs lui valent d'être souvent cultivées dans les jardins. Elle préfère les endroits ensoleillés et les sols légers, secs et résistants ou froid. La multiplication se fait par semis, marcottage ou taille des anciennes souches. La lavande et une plante vivace et sensible au froid. Les rameaux fleuris sont taillés court afin qu'au printemps ils puissent donner de nouveaux bourgeons. Les feuilles dépouillées de leurs fruits peuvent être mises à sécher à une température moyenne. L'huile de lavande sera extraite par distillation des fleurs encore fermées et spiciformes. La lavande est utilisée dans l'industrie cosmétique et les savonneries. Il est probable que dans l'Antiquité déjà la lavande était utilisée comme produit de bain, car son nom provient du mot latin lavare, laver. De nos jours, on cultive la lavande surtout en Provence, mais aussi en Hongrie et en Yougoslavie. Les fleurs de lavande ont un parfum excessivement fort, c'est pourquoi on utilise seulement les feuilles. Celles ci sont amères et épicées, de sorte qu'il convient d'être déjà accoutumé à leur goût. C'est également la raison pour laquelle en Europe centrale la lavande est peu connue comme aromate. Cependant, dans les régions où elle est cultivée, c'est un aromate typique utilisé par exemple dans les cuisines française, espagnole et italienne. Les feuilles sont utilisées comme garniture dans les gigots de mouton, la viande étuvée, les poissons, les soupes de poisson, les salades et les légumes. Dans certains pays méridionaux, les feuilles de lavande entrent également dans la composition des mélanges d'épices.

Levisticum officinale
LIVÈCHE
céleri perpétuel ou ache des montagnes
Répartition géographique :
Bassin méditerranéen
Semis :
juillet-août
Récolte :
été/septembre
Partie utilisée :
feuilles/grains/racines

La livèche est une plante vivace, originaire du sud de l'Europe et qui atteint un à deux mètres de haut. Le rhizome épais est d'une couleur variant du brun terreux au gris clair. Cette plante comporte des racines atteignant 40 cm de long, qui supportent une tige dréssée, ronde et tubulée. Cette tige est ramifiée dans sa partie supérieure. Les grandes feuilles de la partie inférieure sont longuement pétiolées, tandis que les feuilles supérieures sont acaules et s'attachent directement sur les rameaux. Les ombelles de fleurs comportent 10 à 20 rayons, avec des feuilles et des folioles involucrales lancéolées et pratiquement toujours frangées. Les petites fleurs sont jaunes, et les pétales des fleurs sont hérissés de poils fins. Le parfum et le goût de la livèche ressemblent à ceux du céleri. La floraison a lieu en juillet et août, et la maturation des graines à partir de la mi-août jusqu'à la fin septembre. La hivèche prospère surtout dans les sols profonds et ayant une bonne humidité. La multiplication peut se faire par semis. Pour l'usage personnel, une seule plante suffit. La température de séchage ne doit pas dépasser 35°C sachant qu'il s'agit d'une plante qui contient une huile essentielle. Comme aromate, on peut utiliser les feuilles fraîches, mais aussi les feuilles séchées, ainsi que les racines et les graines.

Melissa officinalis
MELISSE
Répartition géographique :
Bassin méditerranéen
Semis :
hiver
Récolte :
été
Partie utilisée :
feuilles

La mélisse est une plante vivace qui atteint 1,20 m de haut. Elle est originaire des régions orientales du bassin méditerranéen, où elle se présente à l'état sauvage dans la nature. Les premiers à la cultiver furent les Arabes en Espagne. De nos jours la mélisse est cultivée dans les jardins et les champs de culture. Elle demande un sol qui ne soit pas trop sec et un terrain ensoleillé et à l'abri du vent. Cette plante vivace et fortement ramifiée comporte une tige quadrangulaire. Les feuilles sont disposées de part et d'autre de la tige; elles sont longuement pétiolées et clairsemées de poils. Les fleurs sont d'un jaune blanchâtre ou blanches et elles sont regroupées en verticilles au niveau des aisselles des feuilles supérieures. La plante a un parfum qui rappelle le citron et son goût est épicé. La floraison peut commencer dès la seconde moitié de juin et elle se termine en août. Il convient de cultiver des plantes de mélisse dans un jardin potager afin de disposer de feuilles fraîches. Dans un sol riche en substances nutritives, les plantes cultivées par semis prospéreront. La mélisse peut également être reproduite par division. En prévision de l'hiver, on effectuera la récolte avant le commencement de la floraison. Les feuilles seront séchées très progressivement. L'apiculteur gagne lui aussi à cultiver de la mélisse, car elle est un régal pour les abeilles.

Mentha piperita
MENTHE POIVREE
Répartition géographique :
Europe
Semis :
hiver
Récolte :
juin-septembre
Partie utilisée :
feuilles

La menthe poivrée est une plante vivace atteignant 30 à 60 cm de haut. Ses nombreuses espèces sont cultivées dans maints pays d'Europe. Les plus utiles en cuisine sont la menthe verte et la menthe à feuilles rondes. L'inflorescence est un épi allongé. La plante est le plus souvent stérile et elle se multiplie par des stolons souterrains. La menthe poivrée que l'on connaît de nos jours n'est plus une espèce pure. Depuis longtemps déjà elle est le produit du croisements de diverses espèces de menthe. La floraison de la menthe poivrée a lieu de juin à août. Comme aromate, on utilise les feuilles fraîches de la menthe poivrée. Celle-ci ne se marie pas avec d'autres aromates. Elle s'accomode particulièrement bien avec les fruits, les salades de fruits, les cocktails et les puddings. De nos jours on n'utilise plus que rarement la menthe poivrée avec la viande, tout au plus avec la viande de mouton. En revanche on utilise la menthe poivrée avec différents légumes comme par exemple les concombres, les tomates, ainsi qu' avec les pommes de terre et les légumes secs.

Ocimum basilicum
BASILIC
Répartition géographique :
Afrique, Asie, Europe
Semis :
mai-juin
Récolte :
été et hiver
Partie utilisée :
feuilles

Le basilic est une plante annuelle atteignant 40 cm de haut et qui est cultivée exclusivement à partir de semis. Les graines séchées restent germinatives jusqu'à cinq années. La plante est très sensible au froid. On commence à la semer en jardin lorsqu'il n'y a plus de risques de gel. Les feuilles sont longuement pétiolées, d'une forme sensiblement ovale, à bord lisse ou à peine dentelées. Les fleurs se trouvent dans des cymes striées aux aisselles; elles sont de plusieurs couleurs, blanches, ou du rose jusqu'au pourpre. La floraison s'étend de la fin juin jusqu'à septembre. Le basilic ne croît pour ainsi dire pas à l'état sauvage au nord des Alpes. La plante préfère les sols riches en substances nutritives dans les endroits ensoleillés et à l'abri du vent. Le basilic est sensible au froid, ce dont il faut tenir compte au moment de l'arroser. Avant l'arrivée du froid, on peut déterrer les plantes et les conserver comme plantes en pot dans une serre, ou bien derrière une fenêtre ensoleillée. Il existe deux sortes de basilic : ocimum basilicum, d'environ 40 cm de haut, et l'espèce buissonneuse : ocimum minimum. Celle-ci est deux fois moins haute et est considérée comme une variété naine des autres. Le meilleur est le basilic frais du jardin. Les plantes sont récoltées plusieurs fois l'an juste avant ou pendant la floraison. On laisse alors la partie inférieure et encore feuillue de la hampe afin que la plante puisse repousser. Le séchage doit ensuite être effectué avec soin, à l'ombre et sous une température ne dépassant pas 35°C. Le basilic séché ne supporte cependant pas la comparaison avec le basilic frais. Le parfum du basilic provient de la forte teneur en huiles essentielles. Le basilic frais ou séché est utilisé principalement pour l'assaisonnement des salades et des mets qui sont servis avec des tomates, ainsi que des poissons, du ragoût, des sauces aux herbes, des charcuteries, mais aussi des mets à base de légumes crus. Le basilic entre en outre dans la préparation du beurre de fines herbes et des omelettes. Il est très prisé en Italie et s'accommode bien avec les tomates. On l'utilise aussi pour les pesto génois. De plus, on peut également conserver le basilic dans l'huile.

Origanum majorana
MARJOLAINE
Marjolaine batarde, origan
Répartition géographique :
Bassin méditerranéen
Semis :
automne/printemps
Récolte :
été
Partie utilisée :
feuilles

La marjolaine est une plante en buisson vivace, atteignant 40 cm de haut. Les feuilles sont petites et pétiolées, à bord lisse et couvertes de poils gris. L'inflorescence ressemble à un épi quadrangulaire et les fleurs sont roses ou blanches. La plante a un parfum et un goût épicés et amers. La floraison a lieu en juillet et août. La marjolaine craint beaucoup le froid et elle demande une terre bien fumée. Les graines doivent être mises en terre au printemps dans des caissettes. Les jeunes pousses seront ensuite plantées dans le potager lorsqu'il n'y a plus de risque de gel. La récolte et le séchage auront lieu à la floraison. On taille alors la pousse à environ 6 centimètres au dessus du sol. Ainsi par la suite les plantes repousseront de sorte qu'en automne l'on aura une seconde récolte. Ensuite, on arrache les plantes avec leurs racines et on les met à sécher progressivement sans les séparer, dans un endroit aéré et ombragé. On jettera la tige, car celle-ci altère les qualités du condiment. La marjolaine peut agrémenter les potages, les sauces et la viande fumée, en particulier la viande de mouton, ainsi que les farces et les pâtisseries. La marjolaine se prête également bien aux marinades, aux mets cuits dans la casserole, aux étuvées et aux pâtisseries. La marjolaine fait partie des condiments qu'il faut toujours avoir à sa disposition, séchés et en sachets.

Petroselinum crispum
PERSIL
Répartition géographique :
Europe
Semis :
mars-avril
Récolte :
toute l'année
Partie utilisée :
feuilles

Le persil potager est originaire du bassin méditerranéen. C'est une plante bisannuelle. On obtient le persil par ensemencement; les graines commencent à germer après quelques semaines. La première année, la plante développe une rosette basale de feuilles. La récolte peut s'effectuer à partir de juin jusqu'en hiver. La 2ème année croît une hampe florale qui atteindra 90 cm de haut. Une fois les graines parvenues à maturation, la plante dépérit. 2 variantes sont cultivées : le persil frisé pour ses feuilles simples et crêpées et le persil de Hollande, avec lequel on accommode volontiers les soupes de légumes. Le parfum de la plante est épicé, la racine est parfumée et son goût est agréable tandis que les graines ont un parfum et un goût plutôt âpres. La floraison est en mai et juin, les graines mûrissent en août-septembre. Comme herbe de cuisine, le persil est présent dans pratiquement tous les potagers d'Europe. En automne, on peut planter du persil dans un pot de fleurs afin d'avoir dès l'hiver des feuilles fraîches à sa disposition. Pour ne pas altérer par la cuisson les propriétés du persil, il convient d'en parsemer les mets seulement une fois ceux-ci prêts à être servis.

Pimpinelta saxitraga
LE PETIT BOUCAGE
Répartition géographique :
Europe
Plante sauvage
Récolte :
mars-avril
Partie utilisée :
racines et feuilles

Le petit boucage est une herbe aromatique vivace qui atteint 60 cm de haut. On le rencontre à l'état sauvage dans presque toute l'Europe et en Asie Mineure. Il n'a pas d'exigences particulières et prospère sur les versants des montagnes, dans les prairies, ainsi qu'à la lisière des bois et des champs. On peut le semer dans un jardin, dans une caissette ou dans un pot de fleurs. Le petit boucage nécessite uniquement un endroit ensoleillé et une humidité qui ne soit pas excessive. La multiplication se fait par les fruits terminaux qui mûrissent en ombrelles ou par une division des vieilles tiges. Comme condiment on utilise les jeunes feuilles du petit boucage, dont le goût rappelle celui des concombres et de la bourrache.

Les jeunes feuilles sont les plus aromatisantes, elles doivent être cueillies avant que la tige ne commence à donner des fleurs. On les utilise uniquement à l'état frais pour aromatiser les salades, les soupes de légumes, les sauces, les mayonnaises et sauces de fines herbes, les marinades de poissons et les cocktails. Le petit boucage se marie bien avec le cerfeuil, l'estragon, le persil et la ciboulette.

Rosmarinus officinalis
ROMARIN
Répartition géographique :
Europe, Amérique
Semis :
printemps
Récolte :
mars-juin toute l'année Partie utilisée :
fleurs/feuilles

Rumex ocetosa
OSEILLE
Répartition géographique :
Europe, Asie Amérique du Nord
Semis :
hiver
Récolte :
été
Partie utilisée :
feuilles

Le romarin est un arbuste semper virens. Il est originaire du bassin méditerranéen et atteint jusqu'à 2 m de haut. Cette plante arbustive est pourvue de feuilles opposées; vert foncé sur la face supérieure et blanc duvété sur la face inférieure. Les fleurs bleu clair ou blanchâtres sont verticillées et pourvues de petites hampes. La floraison s'étend de mars à mai. La teneur des feuilles en huile dépend du climat. On peut planter du romarin dans des pots de fleurs et le faire hiverner dans un endroit clair et frais. Le romarin peut-être cultivé par semis au printemps et en extérieur, cependant le meilleur procédé de multiplication consiste à repiquer en été des boutures d'environ 15 cm de long dans un terrain sablonneux et de les forcer sous une verrière protectrice ou dans un chassis en un endroit frais, ombragé. De nos jours le romarin est prisé comme légume surtout en Italie, en France, en Angleterre. Pour aromatiser les mets, l'idéal est d'utiliser des feuilles fraîches. Dans le cas où elles sont séchées, la température ne doit pas dépasser 35°C. Les feuilles seront cueillies à l'époque de la floraison et après la défloraison, car c'est à cette époque que ces feuilles sont le plus aromatiques. Le romarin est employé pour les viandes, surtout la viande de mouton, la viande de porc et le gibier, de même que pour les volailles, les poissons, les sauces, les soupes, les salades et les légumes macérés. Le romarin broyé ou moulu est à ajouter seulement au dernier moment, lorsque les plats sont prêts à être servis.

L'oseille est une mauvaise herbe annuelle qui atteint environ 60 cm de haut. Elle croît à l'état sauvage à la lisière des prés acides et humides, ainsi qu'au bord des ruisseaux et des fleuves. La multiplication se fait par semis mais également de manière végétative par les racines. Les fruits sont des akènes triples dépourvus de lobes. Toute une gamme d'espèces apparentées est cultivée comme les épinards. On recueille les feuilles d'oseille en mai et juin, tant qu'elles sont encore tendres. Le goût aigre de l'oseille est dû à sa teneur en acides organiques, en particulier en acide oxahique, qui à forte dose devient nocif, notamment pour les personnes qui souffrent de calculs rénaux ou vésicaux, ou de maladies rhumatismales. Sous cet aspect l'oseille ressemble à la rhubarbe, qui appartient à la même famille. C'est pourquoi il convient de ne pas abuser de l'emploi de l'oseille. Les jeunes feuilles d'oseille permettront de préparer une délicieuse salade. L'oseille sert également à relever diverses salades vertes. On l'ajoute également dans certaines soupes. L'oseille entre dans la composition de la sauce verte de Francfort. On peut aussi l'utiliser dans les farces et les infusions d'herbes ainsi que pour la préparation des poissons d'eau douce et de mer. Comme les épinards, l'oseille émincée et passée à l'étuvée donne une excellente purée, purée d'oseille qui servira de garniture pour les viandes de veau et de porc, les poissons et les omelettes.

Salvia officinalis
LA SAUGE
Répartition géographique :
Bassin méditerranéen
Semis :
printemps automne
Récolte :
été, octobre
Partie utilisée :
feuilles/grains

Salvia sclarea
SAUGE MUSCAT
«TOUTE BONNE»
Répartition géographique :
Europe du Sud
Semis :
été
Récolte :
hiver
Partie utilisée :
feuilles

La sauge est un sous-arbrisseau typique du bassin méditerranéen. La multiplication se fait par semis, lequel s'effectue au tout début de l'année ou à la fin de l'automne. Les feuilles sont récoltées peu avant la floraison, mais uniquement par temps sec, puis elles sont mises à sécher à une température ne dépassant pas 35°C. On connaît par exemple les beignets aux pommes avec des feuilles de sauge ajoutées.

Les feuilles de la sauge muscat sont fortement aromatiques et pour l'assaisonnement, elles peuvent être utilisées aussi bien fraîches que séchées. Avec les fleurs de sureau elles étaient naguère employées pour agrémenter le vin en faisant ressortir le goût du raisin muscat. D'où le nom allemand de la plante. On utilise la sauge muscat pour les omelettes et les entremets sucrés ainsi que dans la préparation des jus de fruits. En Europe, on cultive la sauge muscat principalement pour son huile essentielle, laquelle est nécessaire pour la fabrication des parfums. La sauge muscat n'est désormais employée que rarement comme condiment. Ses applications sont dans une large mesure identiques à celles de la sauge pure. Parmi les espèces de sauge les plus connues, il y a la sauge gluante à fleurs jaunes (salvia glutinosa), la sauge des prés (salvia pratensis) et la sauge salvia splendens. Cependant, comme plante médicinale et aromatique, on cultive uniquement la sauge potagère décrite ci-contre, ou sauge pure (salvia officinahis). Celle-ci atteint environ 70 cm de haut et est pourvue de feuilles au parfum aromatique, recouvertes de poils gris et semper virens, et de fleurs violettes.

Sanguisorba minor
PIMPRENELLE
Répartition géographique :
Amérique, Europe
Plante sauvage
Récolte :
été
Partie utilisée :
feuilles

Satureje hortensis
LA SARRIETTE DE JARDIN
Répartition géographique :
Bassin méditerranéen
Semis :
début été
Récolte :
été
Partie utilisée :
feuilles

La pimprenelle est une herbe vivace dont les parties vertes dépérissent, seul le rhizome survit à l'hiver. Ses feuilles imparipennées lui valent d'être souvent confondue avec le petit boucage. Les fleurs forment des inflorescences arrondies qui sont situées à l'extrémité des tiges dressées verticalement. La multiplication se fait par semis ou par division des vieux plants. Seules les feuilles fraîches de la pimprenelle sont cultivées. On les emploie par exemple pour le beurre de fines herbes, pour la sauce verte de Francfort, qui se compose de ciboulette, pimprenelle, bourrache, persil, oseille et sedum reflexum. Les feuilles émincées sont utilisées pour préparer une excellente salade. En Angleterre, la pimprenelle était naguère une herbe aromatique très courante et qui poussait dans tous les jardins. Les premiers colons l'exportèrent en Amérique. La pimprenelle se prêtait également parfaitement à la préparation d'un vinaigre d'herbes qui, d'après les vieilles recettes, pouvait être extrait par la déminéralisation de graines concassées. Comme avec la bourrache, certaines boissons fraîches sont également aromatisées avec de la pimprenelle. De nos jours, on utilise surtout la pimprenelle en France, en Allemagne et Italie.

La sarriette de jardin est une plante annuelle qui atteint 30 cm de haut. Elle est pourvue d'une tige ligneuse dans sa partie inférieure et fortement ramifiée. Les feuilles étroites, lancéolées, sont verruqueuses sur les deux faces et dotées de courts pétioles. La sarriette de jardin fleurit de juillet jusqu'au premier gel. Les fleurs se transforment en fruits durs. La multiplication de la sarriette de jardin se fait par semis, lequel s'effectue au tout début de l'année dans les jardins potagers. On récolte les parties non ligneuses de la plante en fleurs. Ensuite, elles sont séchées par bottes dans un endroit aéré et où la température ne doit pas dépasser 35°C. La sarriette débarrassée de ses rafles sera conservée dans des récipients bien hermétiques. Une variété apparentée à la sarriette de jardin est la sarriette d'hiver, Satureja montana. La sarriette d'hiver peut être utilisée comme la sarriette de jardin, mais elle est moins aromatique. C'est une plante arbustive et elle peut remplacer la sarriette de jardin là où celle-ci ne prospère pas au mieux.

Symphytum officinale
CONSOUDRE OFFICINALE
Répartition géographique :
Europe, Asie occidentale
Semis :
printemps
Récolte :
printemps/automne
Partie utilisée :
racines

Thymus serphyllum
LE SERPOLET A
FEUILLES ETROITES
Répartition géographique :
Europe, Asie Afrique du Nord, Amérique
du Nord
Semis :
printemps
Récolte :
juin-août
Partie utilisée :
parties non ligneuses

La consoudre est apparentée à la bourrache et elle est utilisée de la même façon. Cette herbe appartient à la famille des borraginacées. La racine pluriannuelle s'enfonce profondément dans le sol. Elle est épaisse, musclée et succulente; à l'extérieur sa couleur varie de brun foncé à noirâtre, et à l'intérieur de jaune clair à blanc. La tige est grasse, hérissée de poils et mesure de 30 cm à I m de haut. Les grandes feuilles radiculaires sont pétiolées et hérissées de poils durs. Les feuilles descendent, comme les ramifications, le long de la tige. Les fleurs sont campanulées et étroites, elles sont terminales et se présentent en rose ou violet. Le parfum et le goût de la racine sont légèrement épicés. La floraison s'étend de mai à août. La consoudre pousse partout en Europe centrale dans les endroits humides et le long des cours d'eau. La consoudre ne devrait faire défaut dans aucun jardin d'aromates. On recueille les racines au début de l'année ou en automne. Entre mars et avril, selon la date à laquelle l'hiver prend fin, ou en octobre-novembre, les racines ont la teneur la plus élevée en allantoïne. Les racines seront taillées avec une spatule pointue. Les déterrer ne servirait à rien, car les racines enterrées profondément dans le sol se casseraient facilement. On cultive la racine pour fabriquer un onguent. En Suisse, les feuilles de la plante en fleurs sont incorporées aux omelettes et cuites dans la graisse chaude. Ce mets est bénéfique pour la santé, il purifie le sang et le renouvelle. L'utilisation des pousses de consoudre comme légume naturel était naguère répandue. La consoudre était alors préparée comme l'asperge. Dans la médecine populaire, il existe de nombreuses recettes, et même un vin de consoudre.

Le serpolet se présente en de nombreuses sous-espèces et sous des formes différentes. Celles-ci se distinguent les unes des autres par les feuilles et les inflorescences, ainsi que par leur parfum et heur goût. Hormis l'espèce thymus serphyllum, il en existe un grand nombre d'autres, mieux connues comme plantes d'agrément, comme le thym commun (thymus citriodes), qui dégage un parfum d'écorce de citron, le thym orangé et le serpolet au cumin, des variantes de l'espèce Thymus serphyllum qui sont également utilisées comme aromates. Le serpolet est répandu en Europe, Asie, Afrique du Nord et Amérique du nord. Il préfère les endroits aérés et ensoleillés. Le serpolet fleurit plus longtemps que le thym, et il est très apprécié par les abeilles. Tandis que le thym est un sous-arbrisseau plus haut de près de 30 cm, le serpolet est une plante rampante vivace. Le serpolet se distingue du thym le plus facilement par son inflorescence. Les fleurs à longues tiges du serpolet sont regroupées en inflorescences coniques fermées. En revanche, les fleurs de thym forment des faisceaux en forme de cymes. La récolte du serpolet se fait au ras de la fleur et pendant la floraison par la coupe des parties non ligneuses de la plante. Puis on met les bottes à sécher dans un endroit aéré. Le serpolet présente, comme le thym, un parfum épicé, agréable et aromatique, ainsi qu'un goût légèrement amer. Dans la cuisine, on l'utilise comme le thym.

Tropaeolum majus
CAPUCINE

Répartition géographique :
Amérique du Sud
Semis :
printemps
Récolte :
été
Partie utilisée :
feuilles/grains

La famille des capucines compte environ 80 espèces, qui sont originaires d'Amérique du Sud, principalement du Pérou. Différentes espèces, qui poussent dans les Andes, n'entrent pas dans les préparations culinaires, cependant elles sont très prisées comme plantes d'agrément. La capucine est une herbe grimpante. Elle est pourvue de feuilles indivises, en forme de parasol, ainsi que de fleurs longuement pétiolées. Les fleurs radiales, de couleur orange et rouge, ainsi que les feuilles qui ont un goût de poivre, sont utilisées en salade. Les grosses graines, jeunes, sont plus croustillantes et plus fortes que les feuilles. Emincées, elles se prêtent à toutes sortes d'usages. Elles sont particulièrement délicieuses dans la sauce tartare et là où il y a du raifort. On peut également conserver les gousses comme des échalotes. Ces gousses prennent alors le nom de «fausses câpres». La capucine prospère sur pratiquement tous les terrains. Les semis sont mis en terre séparément en début d'année.

EPICES DU MONDE ENTIER

JADIS AUSSI CHÈRES QUE L'OR, DE NOS JOURS LES ÉPICES SONT FACILES À SE PROCURER DANS TOUS LES PAYS

Les épices, dont la plupart sont originaires des tropiques, sont des parties séchées de plantes aromatiques; elles englobent les fleurs, les graines, les feuilles, les écorces et les racines. L'emploi des épices remonte à l'Antiquité et il a joué dans l'histoire des hommes un rôle important. Autrefois les épices étaient aussi prisées que l'or, et les gouvernants des pays, qui pratiquaient sur une large échelle le négoce des épices, s'enrichissaient par les impôts qu'ils prélevaient sur celui-ci.

La reine de Saba apporta à Salomon, entre autres cadeaux, des épices, et les rois mages offrirent à l'enfant Jésus de l'encens et de la myrrhe.

Bien que l'on ne dispose d'aucune date précise, on considère que le négoce des épices, qui empruntait les périlleuses routes des caravanes de Chine, d'Indonésie, d'Inde et de Ceylan, ainsi que dans les régions orientales du bassin méditerranéen, remonte à quelque 5000 ans. Une route particulièrement empruntée menait à travers le Pestrawar par la passe de Khaybar, l'Afghanistan et la Perse, pour aboutir en Europe. Les Phéniciens étaient de gros négociants d'épices, de même que les Arabes et les Romains, et plus tard, les Vénitiens et les Génois. Après l'effondrement de l'Empire romain, le négoce connut une longue période de stagnation, jusqu'à ce qu'enfin les Portugais découvrissent une voie maritime vers l'est par le cap de Bonne-Espérance, ce qui se solda par une

concurrence et des conflits entre les Portugais, les Hollandais, les Français et les Anglais.

Durant la lutte séculaire entre les peuples pour s'octroyer la mainmise sur ce négoce, les guerres firent rage et des fortunes s'édifièrent tandis que d'autres se défirent, mais les épices que les cuisiniers utilisaient depuis les temps les plus reculés — la noix de muscade, le clou de girofle, la cannelle, le poivre, le gingembre, le safran, et en provenance de Nouveau-Monde, le myrte aromatique, l'orléane colorante, la vanille et le chocolat — continuèrent d'approvisionner le marché comme autrefois. Bien qu'ayant été jadis aussi coûteuses que l'or, de nos jours les épices sont proposées dans des emballages appropriés et à des prix raisonnable dans le rayon épices de n'importe quel supermarché. C'est que les épices ne proviennent plus seulement de quelques pays; à l'heure actuelle, il n'est pour ainsi dire pas un seul pays qui ne produise au moins une épice, laquelle joue souvent un rôle important également dans la cuisine de ce pays. De même, encore à notre époque, les épices ont maints usages différents. Certaines, par exemple le poivre, sont utilisées seulement pour les plats copieux; d'autres, par exemple le gingembre, se prêtent également à la cuisson ou aux conserves. Avant tout, il convient de moudre vous-même vos épices lorsque vous préparez des plats au curry, car les ingrédients doivent être dosés en fonction de chaque recette. Le mélange de base, que l'on appelle le «garam masala» lorsqu'il est composé d'épices séchées, peut comporter jusqu'à vingt épices avec des dosages différent. Un masala liquide (pâté au curry) comprend ordinairement des épices fraîches comme le poivre de Cayenne, l'ail, l'oignon, le gingembre, qui seront concassées avec des graines de coriandre séchées, du cumin, de la cardamome, ou toute autre épice prévue dans la recette. Dans la plupart des poudres ou des pâtés au curry, c'est la coriandre qui domine. Les graines séchées, les écorces ou les racines peuvent également être grillées ou cuites sans graisse, afin de dégager leurs huiles essentielles aromatiques et renforcer leur goût. Cette chaleur doit être dosée avec précaution; ensuite, on peut réduire en poudre, de la même façon que les grains de café, qui sont d'abord torréfiés puis moulus, afin d'en extraire le meilleur goût possible. Les épices peuvent être utilisées en morceaux entiers — dans le biriani et le pilaf, on peut ajouter des morceaux de cannelle, ou des clous de girofle entiers, ou des cosses de cardamome, afin d'aromatiser le riz. Elles peuvent aussi être utilisées à la façon chinoise (les chinois emploient l'anis étoilé pour aromatiser la viande de porc et de boeuf, le gingembre pour relever le poisson et la volaille), ou sous la forme de mélanges d'épices comme les épices de Chine pour accommoder des plats comme le canard Se-Tchouan. Une épice prisée au Japon et qui est servie directement à table est le Shichimitogarashi, une poudre qui se compose de sept épices : du poivre rouge moulu et fort, du poivre japonais en feuilles moulu (sansho, la feuille du frêne épineux), du sésame, de la moutarde, des graines de colza et de pavot, et de l'écorce séchée de mandarine.

Est également très populaire le mélange d'épices français, le «quatre-épices», à base de grains de poivre, de noix de muscade, de clous de girofle et de cannelle. Quelquefois la cannelle est remplacée par le gingembre. De nos jours, nombreux sont les cuisiniers qui mélangent dans leur poivrière des baies de myrte aromatique et des grains de poivre blanc et noir. La combinaison d'épices est un art tout aussi subtil que la fabrication de thé, de parfums et de liqueurs, et chaque cuisinier adopte des dosages à son propre goût. Enfin, le climat n'est pas sans influence sur le choix.

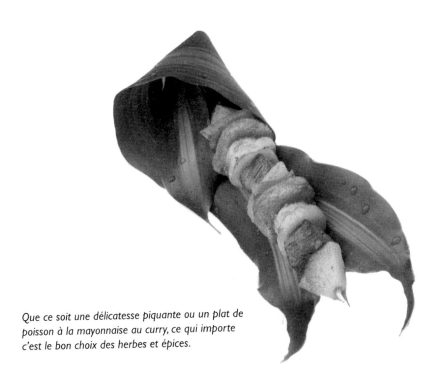

Que ce soit une délicatesse piquante ou un plat de poisson à la mayonnaise au curry, ce qui importe c'est le bon choix des herbes et épices.

Epices de Chine

Poudre de curry

Grains d'orléane
(Bixa orellana)

Epices en conserve

Mélange d'herbes

Cranson officinale fraîchement râpé
(Armoracia rusticana)

Bouquet garni

Garam Masala

Galanga (Alpinia officinarum)

Raifort séché et moulu

Grains de sésame
(Sesamum indicum)

Grains de sésame noir

Ecorce de casse

Ecorce de casse moulue

Graines de fenouil
(Fœniculum vulgare)

Grains de sésame blanc

Cannelier chinois
(Cinnamomum cassia)

Amandes de tournesol
(Helianhus annus)

Amandes de potiron
(Cucurbita maxima)

Nigelle romaine
(Nigella sativa)

Graines de tamarin
(Tamarindus indica)

Céleri *(Apium graveolens)*

Graines de fenouil bâtard
(Anethum graveolens)

Poivre de Cayenne
(Capsicum annuum, var, frutescens)

Poivre d'anis
(Xanthoxylum pipesitum)

Noix de muscade moulue

Noix de muscade
(Myristica fragrans)

Noix de muscade

Grains de poivre blanc

Poivre blanc moulu

Clous de girofle
(Eugenia aromatica)

Grains de poivre noir

Poivre noir moulu

Poivre noir moulu

Poivre (Piper nigrum)

Flocon d'ail

Ail (Allium sativum)

Ail moulu

Coriandre moulue

Fleur de muscade moulue
(Macis)

Paprika (Capsicum tetragonum)

Graines de coriandre

Fleur de muscade
(Myristica fragrans)

Pavot blanc

Coriandre (Coriandrum sativum)

Pavot bleu

Tiges de cannelle

Ecorce de cannelle

Cannelle moulue

Pavot (Papaver somniferum)

Safran (Crocus sativus)

Cannelle
(Cinnamomum zeylanicum)

Cumin
(Cuminum cyminum)

45

Cosses de cardamome noire

Curcuma moulu

Cosses de cardamome blanche

Curcuma

Curcuma *(Curcuma longa)*

Cosses de cardamome verte

Graines de cardamome

Cardamome *(Elettaria cardamomum)*

Graines de moutarde noire
(Brassica nigra juncea)

Quatre-épices moulu

Cumin *(Carum carvi)*

Grains d'anis étoilé

Grains de moutarde blanche
(Brassica alba)

Quatre - épices
(Piment officinalis)

Moutarde

Poudre de moutarde

Anis étoilé
(Illicum verum)

46

Racine de Gingembre

Gingembre moulu

Anis moulu

Gingembre séché

Gingembre
(Zingiber officinale)

Graines d'anis

Anis
(Pimpinella anisum)

Cumin crétois
(Carum ajowan)

Genévrier commun
(Juniperus communis)

Trigonelle moulue

Trigonnelle
(Trigonella fœnum-graceum)

Piment doux
(Capsicum annuum, var, frutescens)

Cumin crétois
(Carum ajowan)

Anis (*Pimpinella anisum*) L'anis est cultivé pour ses grains qui ont un goût sucré, et il est surtout utilisé dans la confiserie et la pâtisserie. Il entre également pour une grande part dans la fabrication du pastis, du Ricard et d'autres boissons alcoolisées avec un goût d'anis.

Anis étoilé (*Illicum verum*) Il s'agit des petites graines en forme d'étoile d'un arbre originaire de Chine et qui est apparenté au magnolia ; ces graines contiennent la même huile essentielle que l'anis. L'anis étoilé est fréquemment employé dans la cuisine orientale, principalement pour le boeuf en daube, les volailles et la viande d'agneau; les épices de Chine en comportent également.

Cannelier vrai (*Cinnamomum zeylanicum*) Il appartient à la famille des lauracées et est originaire d'Inde. On utilise son écorce aromatique, de la même façon que celle du cassia ou cannelier chinois (cinnamomum cassia); l'écorce du cassia est fortement apparentée à celle du cannelier vrai, mais son goût est moins fin. Disponible dans le commerce sous la forme de morceaux ou de poudre, la cannelle est employée non seulement pour la cuisson et les desserts, mais également pour les préparations du riz et des poissons, des volailles et du jambon. Les cannelles s'accommodent le mieux avec les viandes épicées et les préparations de pilaf et de curry.

Cardamome (*Elleteria cardamomum*) Il existe diverses espèces de cette gousse, verte, blanche et noire, qui renferme un grand nombre de petites graines. La cardamome est, après le safran, l'épice de la plus chère du monde. Elle apporte aux plats de riz un arôme particulier et elle est disponible dans le commerce sous la forme de cosses et de grains.

Carvi (*Carum carvi*) **Cumin sauvage**
Il est prisé en Europe, où ses grains sont utilisés pour la cuisson et entrent dans la préparation du fromage et de maints plats piquants. Le cumin sauvage est originaire d'Europe et d'Asie, et il a un goût prononcé et typique; on l'utilise également volontiers pour aromatiser les liqueurs.

Clou de girofle (*Eugenia aromatica*) Ces boutons de fleurs durs et séchés ont un arôme très fort. Ils contiennent une huile essentielle qui aide à soulager les maux de dents, mais ils sont également très prisés pour la cuisson, les conserves et les boissons. Dans le commerce le clou de girofle est disponible sous la forme entière ou pulvérisée.

Coriandre (*Coriandeum sativum*) Les feuilles sont utilisées comme herbes aromatiques, les grains comme épice, ceux-ci ont un goût très différent. La coriandre est un des principaux ingrédients des pâtes et des poudres au curry. Elle est utilisée pour les viandes d'agneau et de porc, les conserves, les marinades et les recettes à la grecque.

Cumin (*Aïowan carum*) Fortement aromatisé par sa teneur en huile de thym, il est utilisé dans la cuisine indienne et du Moyen-Orient. Il est également disponible sous la forme de grains.

Cumin (*Cuminum cyminum*) Il ressemble aux grains du carvi, mais il a un goût pénétrant et plus fort, il est prisé dans les plats au curry et les viandes, ainsi que comme épice de conserve.

Curcuma (*Curcuma longa*) Une épice jaune clair qui est extraite des rhizomes d'une liliacée originaire du sud-est asiatique. Cette épice n'est pas coûteuse et est employée dans les plats au curry, la poudre de curry et les conserves. Dans le commerce, le curcuma est disponible sous la forme d'une poudre ou de racines séchées.

Epices de Chine
C'est un mélange d'épices composé de poivre d'anis, d'anis étoilé, de casse, de clous de girofle et de grains de fenouil. Le goût de réglisse y est prédominant. Il est utilisé dans la cuisine chinoise pour différents plats épicés et est disponible dans le commerce sous la forme de poudre.

Galanga, grande et petite (*Kaemferia pandurata ou k. galanga*) Ces 2 espèces sont des herbes aromatiques apparentées au gingembre, mais elles ont un léger goût de camphre. Elles sont utilisées en Extrême-Orient pour les plats au curry et dans la cuisine malaise, ainsi que dans les pains d'épices et les liqueurs d'herbes. Elles sont disponibles dans le commerce sous la forme de racines ou en poudre.

Genévrier commun (*Juniperus communis*)
Le genévrier, qui est originaire de l'hemisphère nord, est employé pour aromatiser le gin, le gibier et la viande de porc; on l'utilise aussi dans la choucroute et les conserves. Habituellement les baies sont séchées.

Gingembre (*Zingiber officinale*) Originaire de sud-est asiatique, l'épice est extraite du rhizome. Le gingembre est utilisé pour la cuisson, dans la confiserie et la liquoristerie, de même pour les plats orientaux et les conserves.

Graines de paradis (*Amonum mehegueta*)
Ce sont les graines brunes piquantes, fortement épicées, du poivre de Guinée ou de Melegueta, et apparentées au myrte aromatique. Elles sont utilisées comme succédané du poivre. L'habitat de cette plante est l'ouest africain.

Nigelle romaine (*Nigella saliva*)
Ces graines noires ont un goût poivré; on les utilise pour assaisonner le pain et les pâtisseries. On confond souvent la nigelle romaine avec la nigelle croisée.

Noix de muscade et fleur de muscade (*Myristica fragrans*)
La noix de muscade est la graine séchée du fruit d'un arbre semper virens originaire d'Asie du sud-est. La graine est protégée par un tégument cartilagineux grenu que l'on appelle de façon inappropriée la fleur de muscade. La noix et la fleur se ressemblent par leur goût et leur arôme, mais la graine sera broyée et servira à aromatiser les entremets sucrés, tandis que la fleur de muscade sera utile pour les conserves et les plats piquants. Dans le commerce, on peut se procurer la noix de muscade sous sa forme entière ou moulue; la fleur de muscade est disponible en flocons ou en poudre.

Orléane (*Bixa orellana*)
Il s'agit du fruit et des graines de l'arbrisseau qui est originaire d'Amérique tropicale. Le piment du fruit est orange et il est employé pour colorer les aliments. Les graines moulues sont utilisées en Amérique et en Asie du sud-est comme épice; elles trouvent un emploi dans l'ukoy, les crevettes et les galettes de pommes de terre.

Paprika (*Capsicum tetragonum*)
Une poudre rouge et forte qui se compose de différentes espèces de gousses de paprika. C'est l'épice nationale des Hongrois, mais il en existe également une variante espagnole, appelée le pimenton. Le paprika est utilisé pour la goulache, les sauces blanches, les viandes et les volailles, les crèmes de potage et le fromage mou.

Pavot (*Papayer somniferum*)
Les grains du pavot somnifère sont gris (jaunes dans certaines espèces), mais ils ne contiennent aucun alcaloïde accoutumant. Le pavot est employé pour de nombreuses pâtisseries et tout particulièrement pour farcir les gâteaux et les petits gâteaux comme les «hamentaschen» juifs.

Piment (*Pimenta officinalis*)
Quatre épices, piment de la Jamaïque, poivre de la Jamaïque. Le fruit séché du pimenta, un arbre originaire des Indes occidentales, a le goût de noix de muscade, de cannelle et de clous de girofle, il est utilisé pour la cuisson, les conserves et pour les mets piquants. Dans le commerce on le trouve entier ou pulvérisé.

Piment frutescent (*Capsicum frutescens*)
Une espèce de poivre rouge qui est produite à partir de piment séché et moulu. A ne pas confondre avec le paprika, le piment frutescent peut être doux à très piquant. Le piment du Népal est une espèce jaune et douce à base de piment moulu et qui est très utilisé en Inde.

Poivre d'anis (*Xanthoyxhum piperitum*)
Les baies séchées de cet arbre originaire de Chine ont un goût ressemblant au poivre et sont utilisées dans les épices chinoises.

Poivre de Cayenne (*Capsicum frutescens*)
Il est produit à partir d'une espèce de piment rouge, qui semble originaire de Cayenne, en Guyane française. Le poivre de Cayenne en poudre que l'on trouve dans le commerce est souvent combiné à d'autres graines, avec du sel et des épices. Le poivre de Cayenne est très fort, c'est pourquoi il ne doit être employé qu'à petites doses.

Poivre mignonnette
C'est un mélange de poivre moulu en gros grains de poivre noir ou blanc, qui ont été moulus et tamisés. Il est très utilisé dans la cuisine française.

Raifort sauvage (*Armoracia rusticana*)
La racine fortement odorante de la plante est vendue dans le commerce broyée et parfois séchée. La plupart du temps il est employé comme ingrédient de base dans une sauce qui est couramment servie avec la viande de boeuf et le rosbif.

Safran (*Crocus sativus*) Il s'agit des stigmates et des styles d'une variété de crocus, qui contiennent un colorant d'un jaune vif ayant un goût prononcé. C'est l'épice la plus chère du monde, car pour produire une livre de safran quelque 75000 stigmates et styles (cueillis à la main) sont nécessaires. Le safran est utilisé pour colorer et aromatiser les préparations à base de riz, les gâteaux et le pain, ainsi que les potages, et, plus particulièrement, la bouillabaisse et la paella.

Sésame (*Sesamum indicum*)
Originaire d'Inde. Il s'agit d'une des plus anciennes épices du monde qui soit pourvue de capsules de fruit contenant de l'huile. L'huile de sésame est l'huile végétale la plus importante

au Mexique (ajonjohi) et elle est employée dans la cuisine chinoise pour l'assaisonnement. Les petites graines blanches luisantes sont utilisées dans les cuisines mexicaine et japonaise. On en extrait une pâte du nom de tahina qui est employée au Moyen-Orient comme hors-d'oeuvre (meze), et, plus spécialement en Allemagne, dans le pain aromatisé.

Tamarin *(Tamarindus indica)*
Le légume sec d'un arbre africain qui est désormais cultivé dans toute l'Inde. Les cosses contiennent un suc très acide, qui est utilisé pour assaisonner certains plats indiens de curry. Les cosses séchées et visqueuses sont vendues à l'unité et égrenées.

Trigonelle fenugrec *(Trigonelle foenum-graceum)*
Originaire du Moyen-Orient. Le nom latin signifie «foin grec», ce qui indique qu'elle est largement employée dans la cuisine grecque. Elle joue cependant plutôt un rôle dans la cuisine indienne, autant comme épice (grains) que comme herbe aromatique (feuillees).

Vrai poivrier *(Piper nigrum)* Une espèce de sarment de poivrier qu'il ne faut pas confondre avec les variétés Capsicum. Le vrai poivrier est originaire d'Asie mais on le retrouve dans pratiquement toutes les cuisines. Les grains de poivre noir sont les baies du poivrier séchées au soleil, qui sont récoltées quand elles sont encore vertes. Les grains de poivre blanc proviennent de la même plante, mais les baies sont récoltées lorsqu'elles sont mûres. Lorsqu'elles deviennent rouges, on enlève l'écorce et l'on fait sécher les «grains». Ces deux sortes de poivre sont utilisées comme épice, bien que le poivre blanc soit beaucoup moins aromatique et employé principalement pour les sauces blanches, dans lesquelles le poivre noir n'aurait pas sa raison d'être.

Armoracia rusticana
CRANSON OFFICIAL
Raifort sauvage
Répartition géographique :
Europe, Asie
Semis :
automne, hiver
Récolte :
toute l'année
Partie utilisée :
racines

Le cranson officinal (armoracia rusticana ou hapathifolia) appartient à la famille des crucifères. Il est originaire d'Europe du sud-est et d'Asie orientale. Le cranson, une plante vivace, est pourvu d'un appareil radiculaire pivotant. Il se reproduit par la voie végétative par bouturage de racines. Pour en avoir toujours à sa disposition, on plante des morceaux de racine espacés d'environ 45 cm les uns des autres à plusieurs époques durant l'hiver. Les segments de racine doivent être de 5 à 8 cm de long et être enfoncés dans le sol de telle façon qu'ils se trouvent à environ 10 cm sous la surface. Pour éviter que la plante se trouve affaiblie par la floraison, les inflorescences en grappes atteignant 1,50 m de haut seront taillées. On récoltera les racines seulement durant l'automne de la seconde ou de la troisième année. On choisira de préférence du cranson officinal frais et broyé fin pour garnir les viandes que l'on fait seulement revenir et comme ingrédient dans la sauce de raifort. Le raifort en crème ou le raifort pommé convient aux poissons d'eau douce et au gibier, mais aussi aux oeufs durs et aux volailles. On prépare généralement les sauces à froid ou en les chauffant légèrement, car les huiles essentielles se volatilisent à la cuisson. Coupé en rondelle, le raifort sert à assaisonner les cornichons au vinaigre et les betteraves rouges. Le raifort sauvage râpé et la sauce au raifort se conservent deux semaines dans des récipients hermétiques dans un réfrigérateur.

Artemisia absinthium
ARMOISE ABSINTHE
Répartition géographique :
Europe, Asie
Plante sauvage
Récolte :
juin-septembre
Partie utilisée :
feuilles/fleurs

L'armoise absinthe est un arbrisseau vivace aux reflets gris et qui atteint environ un mètre de haut. Les jeunes pousses ainsi que les feuilles sont recouvertes de poils satinés. De bas en haut les feuilles se font de plus en plus petites et de plus en plus simples. L'inflorescence est une panicule. Les fleurs d'un jaune clair sont tubulaires; les fleurs extérieures sont femelles, celles de l'intérieur sont hybrides. La floraison s'étend de juillet à septembre. On rencontre l'armoise absinthe pratiquement partout. Cependant elle préfère les endroits secs.

Dans un jardin, elle ne nécessite pour ainsi dire aucun soin. La reproduction se fait par semis ou par la division des vieilles souches. L'armoise absinthe contient des principes amers puissants, lesquels, à fortes doses, peuvent être nocifs. Comme épice, on utilise les feuilles fraîches mais aussi les jeunes feuilles séchées.

Berberis vulgaris
EPINE-VINETTE
berbéris
Répartition géographique :
Afrique, Europe centrale, Amérique du Sud
Plante sauvage
Récolte :
hiver
Partie utilisée :
fruits

L'épine-vinette appartient à la famille des berbéri-dacées, dont il existe quelque 500 espèces. On rencontre surtout ce genre de plante dans les régions tempérées, mais aussi en Amérique du sud et en Afrique. L'épinevinette est la seule des berbéridacées qui soit originaire d'Europe centrale. Cet arbuste aime la chaleur et la lumière. Il n'a pas d'exigence particulière et supporte la sécheresse. En revanche il supporte mal les hivers rigoureux. Les racines recommencent à produire de jeunes rameaux une fois que l'on a taillé les branches mortes. L'arbuste de l'épine-vinette atteint deux mètres de haut; les jeunes rameaux épineux sont linéaires et de couleur roussâtre. Ils portent des feuilles caduques. Par la suite, ils se lignifient. Les fleurs sont jaunes. Les fruits, «berbéris», sont des baies rouges et charnues, d'un goût aigrelet, et qui jusqu'à l'hiver restent attachées aux rameaux. Les baies non mûries étant plutôt nocives, il convient d'attendre qu'elles soient mûres pour les consommer. On les utilisera de la même façon que les sorbes et les cornouilles, pour parfumer les compotes et les gâteaux de fruits, ainsi que pour aromatiser les sauces pour le gibier et le rosbif. Avec des berbéris, on prépare du jus et des marmelades. Après la fermentation, on peut également produire de l'eau-de-vie, par distillation. Les berbéris séchés seront moulus, et cette poudre d'épice sera employée pour assaisonner la viande grillée. Le berbéris n'étant pas étranger à la prolifération de la rouille des céréales, bien souvent les agriculteurs préfèrent l'exterminer.

Brassica nigra
MOUTARDE NOIRE
Répartition géographique :
Bassin méditerranéen
Plante sauvage
Récolte :
août-septembre
Partie utilisée :
grains

La moutarde noire est une plante annuelle dont la tige atteint 1,50 m de haut. Le calice des fleurs jaunes est écarté. Les cosses sont attachées aux tiges. Elles mesurent 2 à 2,5 cm de long et contiennent les graines noires. La floraison s'étend de juin à août, et la maturation des graines, d'août à septembre. La moutarde noire se présente à l'état sauvage au bord des cours d'eau, sur les berges de galets et de sable. On cueille les cosses mûres, desquelles on extrait les graines noires. En culture, les plants taillés en août ou septembre sont réunis pour former des gerbes et disposés sur des morceaux d'étoffe pour éviter le gaspillage de graines. De nos jours, la moutarde noire est cultivée dans divers pays d'Europe et au Chili, en moindres quantités que la moutarde blanche. Les graines de la moutarde noire ont une couleur variant du brun au noir et leur diamètre est d'environ 1,5 mm. La moutarde noire est utilisée environ dix fois moins que la moutarde blanche ou la moutarde jaune. Dans la préparation de la moutarde alimentaire, on commence par exprimer l'huile, avant de moudre le reste, ce que l'on appelle la moutarde en pâte. Les moutardes de table sont à base de verjus, de vin ou vinaigre bon marché, ou même d'eau, entre autres ingrédients.

Capparis spinosa
CAPRIER
Répartition géographique :
Bassin méditerranéen Plante sauvage
Récolte :
été
Partie utilisée :
boutons

Le câprier est un arbrisseau épineux qui pousse à l'état sauvage dans le Bassin méditerranéen et l'Afrique. Comme épice, on utilise les boutons qui éclosent durant tout l'été. Ceux-ci sont cueillis chaque jour à la main et triés suivant leur grosseur. La qualité est définie par la taille de la câpre. Les plus piquantes et aussi les plus coûteuses sont les Nonpareilles du sud de la France; celles-ci sont des petites câpres rondes et fermes. Les boutons frais sont légèrement amers, c'est pourquoi on les fait tremper dans le vinaigre, l'eau salée ou l'huile pour les conserver. Il convient de laisser le liquide dans le verre jusqu'à ce que toutes les câpres aient été utilisées. Les câpres servent à assaisonner différentes salades, mayonnaises et sauces froides, et sont également utilisées dans le fromage. Leur arôme ne se perd pas à la cuisson.

Capsicum annuum
PAPRIKA
pigment doux, poivron
Répartition géographique :
Inde, Asie Orientale, Europe du Sud
Semis :
début été
Récolte :
été
Partie utilisée :
fruits

Le paprika est extrait de graines. Cette plante annuelle atteint 60 cm de haut. Selon les régions, la floraison s'étend entre juin et septembre, et les fruits parviennent à maturation à partir de la mi-juillet et jusqu'à la fin de l'automne. Une fois mûrs, les fruits sont cueillis et on les attache à une corde pour les faire sécher. De nos jours, le paprika est cultivé principalement dans les régions chaudes d'Europe méridionale, d'Amérique centrale, des Indes et d'Asie orientale, et il est traité pour être employé comme épice. Pour cela, on emploie les fruits mûrs, séchés et moulus, essentiellement des piments à fruit rouges. Les espèces pulpeuses ne se prêtent pas à la préparation du paprika en poudre, et elles sont utilisées pour les salades et les légumes. Les différentes espèces cultivées se différencient fortement en taille, en forme et en piquant. Dans le commerce, on trouve le piment doux, le paprika fin (doux) le paprika demi-doux qui est l'épice de base des goulaches, et le paprika à la rose, qui est très fort. Le paprika fait partie des épices indispensables. Sans le paprika, la goulache perdrait toute sa saveur. Il est également employé pour les sauces, les potages, les salades, les fondues ainsi que dans l'assaisonnement des charcuteries, des viandes et des volailles.

Carvi
Répartition géographique :
Europe, Asie, Afrique
Semis :
début printemps
Récolte :
septembre-octobre Partie utilisée :
grains
Cichorium intybus

Le cumin appartient à la famille des ombellifères et il en existe environ 25 espèces. Le plus connu est le cumin des prés. Celui-ci est une plante bisan-nuelle qui croît en Europe et dans certaines régions d'Asie. En raison de la demande importante, il fait désormais partie intégrante des champs de culture. L'ensemencement a lieu au début de l'année, à 2 cm de profondeur dans des sillons espacés de 40 cm; au printemps de l'année suivante les jeunes plants sont en fleurs. Les graines ne parviennent pas toutes simultanément à maturité, mais progressivement, les unes après les autres, la plupart au début de l'été. Ensuite l'on taille les rameaux pour faire de petites bottes. On suspendra celles-ci dans un endroit propre, sec, chaud et aéré, au dessus de plateaux recouverts de papier, qui permettront de recueillir les graines lorsque celles-ci se détacheront. De nos jours, on utilise le cumin dans le pain, les petits pains et les pâtisseries salées, ainsi que pour assaisonner les pommes de terre bouillies, le chou cabus, la choucroûte et les rôtis de porc, d'oie et de canard. Il est apprécié avec certains poissons, ainsi qu'avec le chou. Le plant de cumin ne supporte pas les endroits froids et humides. Le cumin peut également être em-ployé sous la forme d'une poudre, mais il doit être moulu au dernier moment avant l'utilisation, afin que l'huile essentielle ne se volatise pas. L'huile de cumin joue également un rôle important dans la fabrication des liqueurs et des eaux-de-vie.

Répartition géographique :
Autriche, Allemagne, France Plante sauvage
Récolte :
fin été/avril-octobre
Partie utilisée :
feuilles/ racines

La racine de cette plante, qui atteint 1,50 m de haut, est de forme fuselée; l'extérieur est d'un blanc jaunâtre et l'intérieur blanc. Les feuilles sont grossièrement dentelées et elles s'emmanchent dans les pétioles. La floraison s'étend de juillet à août. La chicorée pousse pratiquement partout, mais elle préfère les sols secs. On la cultive en Autriche, dans le Nord de la France et en Allemagne. A partir des racines particulièrement pulpeuses de la forme cultivée, on extrait la chicorée que l'on mélange au café. C'est pourquoi l'on accorde la préférence aux espèces pourvues d'un gros rhizome (var. sativum), qui sont cueillies en automne, puis séchées, broyées et brèvement torréfiées. La torréfaction provo-que des modifications chimiques des substances contenues dans la racine, ces substances produisant les ingrédients qui donnent à la chicorée son goût et son parfum.

Cinnamomum zeylanicum
CANNELIER VRAI
Cannelier de Ceylan
Répartition géographique :
Asic du Sud-Est
Semis :
hiver
Récolte :
toute l'année/été
Partie utilisée :
écorce/fruits

Citrus limon
CITRON
Répartition géographique :
Asie orientale, Bassin méditerranéen
Semis :
hiver
Récolte :
été
Partie utilisée :
fruits

Le cannelier vrai appartient à la famille des lauracées et il est originaire d'Inde. Dans les forêts, le cannelier de Ceylan atteint une hauteur allant jusqu'à dix mètres. Dans les plantations, les rameaux des arbres sont taillés près du sol afin de donner de nouvelles pousses qui, au bout d'environ deux ans, atteindront une hauteur de près de deux mètres. On cueillera seulement quelques unes des pousses d'un an et demi; après avoir découpé leur écorce, on la laissera fermenter un ou deux jours avant de la râcler. Les lamelles de la partie intérieure, la plus tendre, sont roulées en doubles cylindres et mises à sécher par fagots de 20 à 30 pièces. Les tiges ainsi préparées mesurent un mètre de long et un centimètre d'épaisseur. La casse ressemble à la cannelle de Ceylan et on l'appelle d'ailleurs également la cannelle de Chine. L'écorce de casse est étroitement apparentée à la cannelle vraie mais son goût est moins fin. Dans le cas du cannelier de Chine, on n'enlève pas la couche supérieure de liège, de sorte que les cylindres sont plus épais et mesurent environ 40 cm de long. Vendue dans le commerce à la pièce ou en poudre, la cannelle vraie n'est pas utilisée seulement dans la cuisson des mets et pour la préparation des entremets, des soufflés, de la prunelle, du pain d'épice et des confitures. Avec des clous de girofle et de l'écorce de citron, elle sert à aromatiser le vin chaud. La cannelle est également un ingrédient de la poudre de curry. Sa couleur doit être claire et elle doit être conservée dans des récipients hermétiquement fermés.

La patrie d'origine du citronnier est vraisemblablement la Perse. De nos jours, plus personne ne sait à quoi ressemblait le citronnier sauvage. Désormais il est répandu dans tous les pays du bassin méditerranéen et il pousse dans pratiquement toutes les contrées subtropicales du globe. L'orange amère (Citrus aurantium) est fortement apparentée au citron; ses petits fruits ronds et amers sont utilisés pour préparer la confiture d'orange, si prisée en Angleterre. Comparé au bigaradier (l'arbre qui produit l'orange amère), le citronnier est un petit arbuste semper virens; tout au long de l'année il porte des fleurs et des fruits verts ou mûrs. Sitôt les fruits parvenus à maturation, on enlève une fine couche de l'écorce puis on la fait sécher. On peut également la réduire en petits morceaux pour la conserver et l'utiliser ultérieurement. La règle veut qu'on utilise les citrons quand ils sont frais, mais aussi, il convient de n'employer que des fruits non traités. L'écorce de citron apporte aux mets un arôme frais et elle est utilisée lors de la cuisson et de la préparation des entremets et des compotes. En liquoristerie, on emploie l'huile et l'écorce. Le jus de citron peut remplacer le vinaigre dans toutes sortes de salades. Extraite de l'écorce verte du fruit du cédrat, le cédrat ou succade est un ingrédient qui est utilisé pour aromatiser les pâtisseries fines. L'écorce épaisse du fruit est mise à tremper dans l'eau salée et réduite par l'ébullition avec beaucoup de sucre.

Coffea arabica
CAFÉ
Répartition géographique:
Afrique, Amérique du Sud
Semis :
toute l'année
Récolte :
fruits mûrs
Partie utilisée :
grains

Le caféier atteint 5 à 6 m de haut, mais dans les plantations on le coupe pour le réduire à la taille d'un arbuste. Il conserve un rendement élevé pendant plus de 30 ans. Ses fruits à noyaux peuvent aisément être cueillis à la main. Chaque fruit contient deux graines, les grains de café. Les fruits récoltés sont mis à sécher au soleil et écalés par un procédé mécanique. Les grains secs n'ont pas encore le goût typique du café; c'est la torréfaction qui leur donne leur couleur et leur arôme. Outre sa consommation comme stimulant, le café est également utilisé dans les mélanges de boissons, les puddings, les crèmes et crèmes glacées. Il convient de moudre le café au moment de l'utiliser, quand il est encore frais. L'huile essentielle qui lui donne son goût se volatilise rapidement. Il est également conseillé de moudre le café très fin, pour qu'il dégage mieux son arôme. Lors de la torréfaction il faut faire en sorte que celle-ci soit brève et rapide. Elle doit durer seulement quelques minutes à une température de 200°C. Ensuite, on refroidit rapidement les grains de café, afin que les huiles essentielles ainsi libérées ne s'évaporent pas. Le café décaféiné est débarrassé par extraction d'une grande partie de sa caféine; le café de régime (café pour les estomacs sensibles) est pauvre en acide tannique.

Coriandrum sativum
CORIANDRE
Répartition géographique :
Bassin méditerranéen Est
Semis :
mars-mai
Récolte :
été/septembre-octobre
partie utilisée :
feuilles/grains

La coriandre est une plante utilisée comme condiment et qui appartient à la famille des ombellifères. C'est une plante de culture annuelle à bisannuelle. Elle est originaire des régions orientales du bassin méditerranéen. En Europe on la rencontre à l'état sauvage. Elle est pourvue d'une tige cannelée, de feuilles pennées et de fleurs de couleur blanche ou rosée. Celles-ci donnent naissance aux fruits, qui sont des akènes doubles et globulaires. Les feuilles fraîchement broyées dégagent une odeur de punaise écrasée, d'où parfois le nom d'herbe à punaise.. Les fruits mûrs ont un arôme doux et épicé. Les régions de culture sont la Hongrie, la Roumanie, la Russie et le Maroc. Dans le commerce, la coriandre est vendue entière ou moulue. Elle est utilisée pour parfumer le pain, et c'est un des ingrédients dans les mélanges d'épices pour saucisses et les pâtés. Elle est très prisée en Amérique du sud. La coriandre est également un ingrédient important dans la poudre de curry. Dans la mesure où, dans nos pays, la coriandre est employée pour la préparation des pains d'épices et des spéculants, on la trouve dans les mélanges d'épices tout prêts pour la préparation du pain d'épices. Les jeunes feuilles fraîches de cette plante peuvent être utilisées comme assaisonnement et dans les salades de légumes.

CORNOUILLER MÂLE

Cornouille
Répartition géographique :
Europe du Sud, Asie Mineure
Plante sauvage
Récolte :
fin automne
Partie utilisée :
fruits

Le cornouiller mâle est une plante arborescente qui peut atteindre jusqu'à sept mètre de haut. Il est surtout répandu en Europe méridionale et en Asie Mineure. Il préfère les terrains en pente et constitue souvent des haies dans les chênaies des régions chaudes. Il appartient au genre Cornus, qui compte de nombreuses espèces, tout comme le troène que l'on plante dans nos parcs comme arbre ornemental, et dont il se distingue par ses feuilles parallèles et velues sur le dessous. Le cornouiller est un des premiers arbres à mûrir en mars. C'est un des rares arbustes à produire des épices. Celles-ci sont des cor-nouilles, des fruits à pepins, rouges et au goût amer, qui ressemblent au berbéris ou à la sorbe, et qui parviennent à maturité seulement à la fin de l'automne. Ces fruits ont une forme oblongue très prononcée, et ils contiennent un noyau qui commence à germer la deuxième année après l'ensemencement. Les cornouilles subsistent aux branches de l'arbre jusqu'à une époque avancée de l'hiver et même après les premiers gels, elles ne sont par encore mûres. Pour l'assaisonnement on utilise des cornouilles fraîches ou séchées.

SAFRAN

Crocus
Répartition géographique Inde,
Europe méditerranéenne
Semis :
mai
Récolte :
automne
Partie utilisée :
fleurs

Le safran est une plante bulbeuse appartenant à la famille des iridacées. En début d'année, il donne des feuilles étroites et herbacées qui dépérissent en septembre/octobre, au moment de la floraison. Alors seulement, les bulbes donnent naissance à une inflorescence comportant jusqu'à huit fleurs violettes qui ressemblent au colchique. Comme dans nos régions, le safran ne croit pas à l'état sauvage dans la nature, et qu'on le rencontre seulement dans les jardins et les champs de culture, la confusion est pratiquement exclue. Parti d'Espagne, le safran s'est répandu dans d'autres pays d'Europe. Le fait de savoir si le safran est un colorant épice ou une épice colorante prête à controverse. Comme épice, on emploie les stigmates brun- rouge des fleurs, lesquels sont au nombre de trois sur chaque style. Ceux-ci sont enlevés à la main sur les fleurs fraîchement écloses puis on les met rapidement à sécher et si possible avec soin.

200 000 stigmates de fleurs sont nécessaires pour produire 1 kilo de safran! De nos jours, dans la cuisine européenne, le safran n'est utilisé que dans peu de mets. Il est cependant indispensable dans la bouillabaisse.

Cuminum cyminum
CUMIN
Répartition géographique :
Bassin méditerranéen
Semis :
mars-mai
Récolte :
septembre- octobre
Partie utilisée :
grains

A la différence du cumin des prés, le cumin croisé est une plante annuelle. Il atteint 30 cm de haut et est pourvu d'ombelles de fleurs de couleur blanche ou rougeâtre. Les graines doivent être semées à la fin du printemps. D'aspect extérieur, le cumin croisé ressemble au cumin commun, mais son goût est plus savoureux et plus prononcé, et même un peu amer. Comme épice, on utilise les graines, qui sont des akènes doubles atteignant 6 mm de long. Le cumin pousse à l'état sauvage au Turkestan; les principales régions de culture sont le littoral d'Afrique du nord, Malte, la Sicile, le Moyen-Orient et l'Inde. Le cumin croisé est un ingrédient de certaines poudre de curry. Comme épice employée seule, il est très prisé dans la cuisine indonésienne. Le cumin croisé est egalement utilisé au Mexique, en Amérique du nord et en Afrique du Nord. Beaucoup le préfèrent au cumin, au fenouil ou au fenouil bâtard, surtout pour les soufflés de poisson, dans les sauces, et toujours dans les plats à base d'oeufs et de poisson. Généralement une bonne pincée suffit. Qui aime les mets fortement épicés peut cependant essayer en toute quiétude le cumin croisé. Mais d'abord il faut s'accoutumer à son arôme très prononcé.

Eugenia aromatica
CLOU DE GIROFLE
Répartition géographique
Bassin méditerranéen
Semis :
hiver
Récolte
août- novembre
Partie utilisée boutons séchés

Le clou de girofle est le bouton séché très aromatique, de la fleur non parvenue à l'éclosion d'un arbre originaire des Moluques, et qui atteint 10 mètres de haut. Au temps des Romains le clou de girofle gagna le bassin méditerranéen. Au 13ème siècle, Marco Polo fut le premier Européen à voir pousser un giroflier. Depuis le début du 19eme, Zanzibar et Pemba sont les premiers producteurs mondiaux de clous de girofle Apres la cueillette, les inflorescences, avec leurs fleurs encore fermées, sont mises à sécher au soleil. La distillation des sommités des rameaux et des boutons produit l'huile de giroflier, qui trouve un emploi en médecine et en dentisterie, ainsi que dans la parfumerie et l'industrie cosmétique. Le fruit doit être lisse et gras, et il convient de l 'acheter uniquement non moulu. Quand on a besoin d'un peu de cette épice en poudre, il suffit de broyer un clou de girofle. Les clous de girofle sont utilises par exemple pour les entremets, les compotes et les pains d'épices. Mais le gibier, les viandes, les marinades de poisson et le vin chaud sont également aromatisés avec des clous de girofle.

Juniperus communis
GENEVRIER COMMUN
Répartition géographique :
hémisphère Nord
Semis : hiver
Récolte :
été deuxième année
Partie utilisée :
fruits

Lepidium sativum
CRESSON ALENOIS
Répartition géographique :
monde entier
Semis
toute l'année
Récolte : toute l'année
Partie utilisée :
feuille

Selon son habitat, le genévrier se présente sous la forme d'un arbuste, d'un arbrisseau ou d'un arbre. Les feuilles sont aciculaires d'un vert clair les premiers temps, puis elles s'assombrissent. Elles atteignent 8 à 10 mm de long. Les fleurs sont dioïques. Les fleurs femelles se composent de trois boutons verticaux placés l'un à côté de l'autre, qui sont protégés par en dessous par trois écailles et trois bractées. La partie supérieure de ce petit bouton est charnue et elle se transforme en une baie globuleuse qui, d'une manière générale, est verte et oviforme la première année, et d'un brun foncé à noir la deuxième année. La floraison est en avril et mai. Les baies parviennent à maturation à l'automne de la deuxième année. On récoltera en octobre les baies mûres qui ne sont pas ratatinées et qui n'ont pas bruni. Celles-ci ne doivent pas être mises à sécher au soleil, et la chaleur artificielle n'est également pas recommandée. Les greniers exposés aux courants d'air constituent le meilleur endroit pour le séchage. Pour la conservation des baies séchées, des bocaux de verre pourvus de couvercles également en verre sont la meilleure solution. Les baies de genévrier sont par exemple indispensables avec le gibier. Elles sont utilisées pour la préparation des marinades de poissons et avec les viandes grasses, et naturellement, avec la choucroute. L'eau-de-vie de Steinhagen, le genièvre et le gin sont fabriqués à partir de baies de genévrier commun. Les baies de genévrier entrent dans la composition de divers mélanges d'épices.

Le cresson alénois est une plante annuelle qui atteint 25 à 40 cm de haut. On le cultive volontiers chez soi et surtout en hiver, c'est un fournisseur prisé de vitamine C. On peut faire pousser du cresson alénois par un semis dans des bacs de terre ou simplement dans une assiette avec du coton humide. On dépose les graines sur la surface supérieure du substrat, qui doit rester humide en permanence. Apres leur éclosion, les graines donnent naissance à une couche glaireuse. Elles germent rapidement, de sorte qu'après deux semaines les jeunes pousses peuvent être récoltées. Jusqu'alors, elles ne nécessitent l'apport d'aucune substance nutritive, car celle-ci est présente en quantité suffisante dans les graines. L'ensemencement peut être répété tout au long de l'année.

Lyopersicon lycopersicum
TOMATE
Répartition géographique :
monde entier
Semis : début été
Récolte :
août -septembre
Partie utilisée :
fruits

La tomate est apparentée à la pomme de terre, mais elle est pourvue d'un rhizome sans bulbe. La plante est velue, visqueuse et elle a une légère teinte verte. Elle mesure environ un mètre de haut. Les fleurs sont réunies en grappes; elles sont jaunes, au nombre de six, ou souvent plus. Les fruits atteignent la taille d'une pomme. Au début ils sont verts et par la suite ils deviennent d'un rouge jaunâtre à luisant rouge foncé. La floraison s'étend de juillet à septembre; les fruits parviennent à maturation à partir d'août. La tomate est très vulnérable au froid et des espèces précoces sont cultivées en serre. Chez nous, la tomate est uniquement une plante annuelle. Elle doit être soutenue par des tuteurs. Son fruit est très prisé, que ce soit comme légume, en salade, comme assaisonnement ou pour décorer les mets. Il suffit pour cela de cultiver un grand nombre d'espèces différentes par leur forme, leur couleur et leur goût. Le fait de classer la tomate parmi les épices se justifie en ce sens qu'elle est le principal ingrédient de nombreux condiments comme le ketchup. Ce sont les Espagnols qui importèrent la tomate en Europe. Ils gardèrent également la déformation du nom aztèque tumantl, qui fut introduit dans un grand nombre de langues.

Myristica fragrans
NOIX DE MUSCADE
Muscadier
Répartition géographique :
tropiques
Semis : hiver
Récolte
tonte l'année
Partie utilisée :
noix

Le muscadier appartient, avec le magnolia, à une famille d'arbres tropicaux à doubles cotylédons. Le muscadier est semper virens. Comme le giroflier, il est originaire des Moluques et il atteint une hauteur dépassant 12 mètres. Le muscadier est un arbre dioïque. Sur 20 arbres fructifères, on plante seulement un arbre mâle. La floraison se prolonge toute l'année. Chaque arbre donne jusqu'à 2000 fruits. Ces fruits sont des baies simples. Les capsules ressemblent à celles des pêches et produisent deux sortes d'épices, la noix de muscade et la fleur de muscade. La noix de muscade est le noyau (qui sera séché après la récolte) débarrassé des téguments charnus; la fleur de muscade (macis) est le fruit des enveloppes réticulées qui se trouvent au-dessous et qui comportent quinze lobes d'une longueur de 3 à 4 cm et d'une épaisseur de 1 mm. Lorsqu'elle est fraîche, la fleur de muscade est d'un rouge carmin, et lorsqu'elle est sèche, d'un rouge orange. Les pays producteurs de cette épice sont principalement l'Indonésie, Sri Lanka et l'Inde (du Sud et de l'Ouest). Dans le commerce, on peut se procurer deux sortes différentes de noix de muscade : celles qui proviennent de l'Inde orientale sont triées suivant la taille, et celles de l'Inde occidentale ne le sont pas. On utilise la fleur de muscade pour aromatiser les coulis de viande, les charcuteries et Les pâtisseries; les noix de muscade sont employées comme épice pour Les épinards, les légumes, Les croquettes et autres.

Myrtus communis
MYRTE
Répartition géographique
régions tropicales et subtropicales
Semis : hiver
Récolte : automne
Partie utilisée :
grains

Nasturtium officinale
CRESSON DE FONTAINE
Répartition géographique :
Europe
Semis : printemps
Récolte :
été
Partie utilisée :
feuilles

La famille des myrtacées englobe quelque 3000 espèces de plantes à doubles cotylédons, de grenades et d'onagracées. Le seul représentant européen de cette plante qui croit principalement dans les régions tropicales et subtropicales est le myrte commun (myrtus communis). Celui-ci est un arbrisseau semper virens qui supporte mal l'hiver. Comme le romarin et l'arbousier il est originaire du bassin méditerranéen. Le myrte peut fleurir en pot, mais il ne donne alors que rarement des fruits. Il est employé, comme épice principalement dans le bassin méditerranéen. Les bergers jettent des rameaux frais dans le feu sur lequel ils font griller la viande de mouton. L'huile essentielle de la plante est distillée sous l'effet de la chaleur et elle imprègne ainsi la viande grillée. On utilise des feuilles de myrte fraîches, mais aussi séchées, pour assaisonner les viandes grasses, surtout la viande de porc. Dans les pays méditerranéens, on farcit également la petite volaille rôtie avec des feuilles de myrte.

Le cresson de fontaine est une plante vivace et originaire de nos régions. Il atteint environ 30 à 70 cm de haut. De plus en plus souvent, on le cultive dans des bassins individuels dont la propreté de l'eau est contrôlée, car il convient de cueillir uniquement dans une eau parfaitement saine le cresson de fontaine destiné à la consommation. La floraison s'étend entre juin et septembre. Les pousses fraîches peuvent être cueillies jusqu'en automne, lorsque la plante n'est pas encore en fleurs. Une conservation par séchage n'est pas possible, car la plus grande partie des agents utiles ne sont présents que dans la plante fraîche. Pour l'assaisonnement on emploie uniquement les fleurs jeunes et fraîches. Pour garder celles-ci dans un bon état de fraîcheur pendant plusieurs jours, on place les plantes coupées dans un récipient, avec de l'eau froide, que l'on laisse à couvert dans la cave. Il est déconseillé de les conserver dans le réfrigérateur. En hiver, à la place des feuilles, on peut utiliser de la même façon Les graines mûries et moulues. En Europe occidentale et en Europe centrale, il existe encore d'autres espèces apparentées au cresson de fontaine, comme le cresson à petites feuilles (Nasturtium microphyllum), et le cresson d'hiver (Nasturtium stérile). En Europe méridionale, le cresson des marais (Nasturtium palustre) est particulièrement prisé en salade. Le goût du cresson de fontaine est dû, à sa teneur en glucoside d'essence de sénevé.

Nigella sativa
NIGELLE ROMAINE
Répartition géographique :
Bassin méditérranéen
Semis :
printemps
Récolte :
fruits mûrs
Partie utilisée :
grains

La nigelle romaine appartient au genre vaste des renonculacées et il en existe une vingtaine d'espèces, principalement dans le bassin méditerranéen. La nigelle romaine est une plante annuelle qui atteint une hauteur d'environ 40 cm. Elle fleurit depuis le printemps jusqu'à l'automne. La multiplication se fait par un ensemencement au moment opportun, au printemps. Les fruits sont des capsules à cinq carpelles, qui sont cueillies progressivement au fil de leur maturation. Apres séchage, on procède a l'égrenage. La nigelle romaine est apparentée à la nigelle de Damas (Nigella damascena), qui pousse dans nos jardins. Celle-ci a des grains noirs qui ressemblent au semis d'oignon. D'abord le goût est amer, et après un moment il devient fort comme celui du poivre. La nigelle romaine est une épice typique en Egypte, dans les pays du Moyen-Orient et en Inde. Elle est également employée dans la cuisine européenne. Ses graines séchées aromatisent aussi bien le pain que les pâtisseries. La nigelle romaine n'irrite pas la muqueuse stomacale; cependant, comme elle contient certaines substances toxiques, il faut éviter de l'utiliser à forte dose. En Grande-Bretagne, on appelle la nigelle romaine «love-in-a-mixt» ou «devil in the bush»; chez nous on appelle la nigelle de Damas «cheveux de Venus».

Olea europa
OLIVE
Répartition géographique :
Bassin méditerranéen
Semis :
hiver
Récolte :
fin été
Partie utilisée :
fruits

C'est seulement par une mutation accidentelle qu'a pu apparaître dans la plus haute Antiquité le premier arbre portant des olives comestibles. Les oliviers que l'on connaît de nos jours sont des descendants de cet arbre qui a été cultivé par la main de l'homme. L'olivier atteint six à huit mètres de haut et est pourvu de rameaux sans épines. A l'époque de la floraison, en mai - juin, il est couvert de petites fleurs parfumées et d'un blanc jaunâtre. Les fruits sont des drupes d'un violet foncé et qui atteignent 4 cm de long, et ils sont récoltés de novembre à janvier. Les drupes, qui sont les olives, contiennent jusqu'à environ 20 pour cent d'une huile précieuse qui est extraite des fruits mûrs. Dans l'Antiquité, les olives n'étaient employées que pour la production de l'huile. Ces fruits que nous utilisons aujourd'hui comme condiments étaient autrefois inconnus car, à l'état frais, leur goût amer les rend immangeables. Cette aigreur se dissipe seulement par un long séjour dans une eau sans cesse renouvelée, ou par un bain de saumure. De nos jours on cultive l'olivier dans tous les pays méditerranéens comme plante utile. Les olives vertes en conserves sont des fruits qui ne sont pas mûrs, tandis que les olives d'un violet foncé à noir le sont. Les unes et les autres accommodent les hors-d'oeuvre froids et les salades. Elles conviennent également aux plats chauds, par exemple aux volailles rôties, aux légumes à l'étuvée et aux pizzas. Des olives mûres, on extrait l'huile d'olive. Celle-ci est obtenue par un pressage des fruits mûrs, sans que les olives soient chauffées. L'huile d'olive est d'une couleur jaunâtre à verdâtre et son goût et son parfum sont fins. L'huile de table qui est extraite sous faible pression est appelée «huile d'olive vierge». Les résidus de ce pressage sont utilisés dans l'industrie. L'olivier croit dans le Bassin méditerranéen, en Asie Mineure, en Inde et en Afrique. Il peut atteindre un âge considérable. Hormis comme produit alimentaire, l'huile d'olive est utile dans maints domaines, aussi bien médical que technique. Les principaux pays producteurs sont l'Italie et l'Espagne.

Papaver sommiferum
PAVOT
Répartition géographique :
Bassin méditérannéen oriental
Plante sauvage
Récolte :
fin été
Partie utilisée :
graines

Le pavot sauvage, dont descendent les espèces cultivées de nos jours, est une plante annuelle. La tige ramifiée atteint 1,20 m de haut. Il est lisse et pourvu de feuilles glauques, dentelées et embrassantes. Les fleurs sont d'un rouge pâle, mais elle peuvent aussi être blanches ou lilas, voire violettes. Les capsules de fruit globuleuses comportent des cloisons et de nombreuses graines. La floraison a lieu en juillet - août. Dans la cuisine on emploie les graines mûres et moulues du pavot dans les entremets et les pâtisseries. Le goût de noix se trouve renforcé par la cuisson. Moulu, le pavot entre dans différents mélanges d'épices. L'huile de graines de pavot obtenue par pressage à froid est une excellente huile de table.

Pimpinella anisum
ANIS
Répartition géographique :
Bassin méditerranée /Asie
Semis :
mars -mai
Récolte :
été/septembre
Partie utilisée :
feuilles

L'anis est une plante annuelle dont les fruits sont de petits akènes doubles, durs, d'un brun grisâtre et aromatisés. Ils ont un goût douceâtre caractéristique. L'ensemencement de tous les fruits a lieu fin mars, début avril, car durant la germination, les jeunes plantes ne supportent pas les gelées tardives. Selon les régions, la floraison s'étend entre mai et août. Ensuite, la récolte peut s'effectuer en août - septembre, lorsque les extrémités des fruits brunissent. Les plantes sont cueillies à la main ou fauchées, puis on confectionne des gerbes et on les laisse mûrir pendant quelques jours. Apres l'égrenage, les fruits sont remis à sécher et triés. Pour ces raisons, une confusion avec des fruits hautement toxiques comme la grande et la petite ciguës est pour ainsi dire exclue, car dans nos pays, l'anis n'existe pratiquement que sous la forme cultivée. L'anis trouve maints usages comme aromate : dans le pain et les pâtisseries, dans les entremets, les sauces, les salades, les légumes, ainsi que dans la fabrication des liqueurs. Souvent on utilise toute la plante. Les graines donnent du goût aux gâteaux. Les bonbons à l'anis se composent d'un mélange de sucre et d'anis préparé à chaud, souvent garni de graines d'anis. L'huile d'anis est extraite des fruits de l'anis. Outre son emploi dans la fabrication de la liqueur d'anis, l'anisette, l'huile d'anis est utilisée en parfumerie et en médecine. Le principal constituant de l'huile d'anis est l'anéthol.

Piper nigrum
VRAI POIVRIER
Repartition geographique
tropiques
Semis :
printemps
Recolte :
fin etc
Partie utilisée :
fruits

Le vrai poivrier est un arbre grimpant qui atteint sept mètres de haut. Il prospère uniquement dans les climats chauds et humides, et est originaire de la côte de Malabar, en Inde. De nos jours, il est répandu dans toutes les régions tropicales. On le cultive dans les plantations et il escalade des tuteurs atteignant quatre mètres de haut. Les plantes commencent à porter des fruits seulement dans la troisième année. Entre la septième et la neuvième année, on récolte 3 à 4 kilos de fruits sur chaque arbre. Les baies vertes, non parvenues à maturation, sont mises à sécher; elles deviennent alors noires et se ratatinent. Ensuite elles sont triées par taille et vendues dans le commerce sous le nom de «poivre noir». Les fruits rouges presque parvenus à maturation sont mis à macérer dans l'eau pendant deux ou trois jours afin qu'ils se gorgent d'eau et ramollissent. Les graines sont débarrassées de leur peau et vendues comme poivre blanc. Le poivre vert est constitué de fruits non mûris du poivrier.

Portulaca oleracea
POURPIER
Répartition géographique :
régions tropicales et subtropicales
Semis début été
Récolte : été
Partie utilisée :
feuilles

Le pourpier est une plante annuelle pourvue d'une tige et de feuilles charnues. Il est originaire d'Inde occidentale, où il croit à l'état sauvage. les formes cultivées appartiennent à la famille des portulacacées, subsp. sativa, dont la tige charnue est généralement verticale et atteint 60 cm de haut. Le pourpier a peu d'exigences. Sa maturation s'effectue par semis. Sa croissance est très rapide, et dés le premier mois après l'ensemencement, les premières jeunes feuilles peuvent être cueillies. La récolte peut ensuite se poursuivre de façon continue jusqu'a ce que la plante commence à fleurir. Le pourpier est cultivé à une plus large échelle au Moyen-orient et en Europe méridionale. Son usage est multiple. A partir de ses feuilles charnues, on prépare une sorte d'épinard. En France, la salade de pourpier est appréciée, au Moyen-Orient il est utilisé pour la préparation des salades mixtes. D'après les recettes anglaises les feuilles peuvent être accommodées de la même façon que les câpres. Comme légume, il convient également aux potages- crème, ainsi qu'aux mayonnaises relevées pour les viandes et les poissons. Dans les plats chauds, les feuilles de pourpier émincées sont ajoutées au tout dernier moment, car sinon elles perdent leur goût et leur potentiel vitaminique. La famille des portulacacées, à laquelle appartient le pourpier, compte plus de 100 espèces et est représentée aussi bien dans les régions tropicales que subtropicales du globe.

Rhus coriaria
SUMAC DES CORROYEURS
Répartition géographique :
Asie, Bassin méditerranéen
Plante sauvage
Récolte : fruits mûrs
Partie utilisée :
fruits

La famille des sumac englobe environ 600 espèces de plantes dioïques et qui sont apparentées à l'érable. Le sumac des corroyeurs est un arbuste qui atteint trois mètres de haut et est originaire du bassin méditerranéen et d'Asie du sud-est. Il est également cultivé dans le sud de l'Italie et surtout en Sicile. On le rencontre également très souvent au Liban. Les fruits âpres, voire acides, du sumac sont mis à sécher et broyés ou réduits en une poudre rouge, puis on les fait macérer dans l'eau et on les presse. Dans nos pays, on ne peut se procurer la poudre rouge de sumac que dans les magasins spécialisés. Le sumac a une plus grande importance dans la cuisine arabe, qui de nos jours encore le préfère au citron. Le suc en est utilisé pour la préparation des salades, et la poudre pour l'assaisonnement, en particulier des poissons, mais aussi des volailles, des légumes et de la viande. Sa teneur en tannin fait que le sumac convient particulièrement aux aliments gras. Il facilite la digestion et contribue à prévenir les maladies intestinales. La famille des sumacs comprend également de précieux arbres fruitiers, comme par exemple le manguier et le cajou (anacardiva occidentale).

Rosa canina
ROSE DU CHIEN
Répartition géographique
Europe
Plante sauvage
Récolte :
septembre- octobre
Partie utilisée :
fruits

La rose du chien est un arbuste vivace et endurant, qui est répandu en altitude vers 1000 mètres. Il croit en lisières des champs, dans les prés, sur les versants ensoleillés et à l'orée des bois, et atteint trois mètres de haut. Sa couleur varie de pratiquement blanc à rouge pâle. Les fruits sont oviformes, d'un rouge brillant, et ils contiennent des graines. La floraison a lieu en juin, et les fruits parviennent à maturation en septembre. Les fruits (baptisés « gratte-cul ») sont riches en vitamine C, et ils servent à la préparation de certains thés et de marmelades qui conviennent aux sauces destinées au gibier rôti. Les fruits charnus renferment un grand nombre de graines irrégulièrement dentelées, ressemblant à des pépins et recouvertes de poils soyeux. Pour les applications culinaires, les fruits doivent être débarrassés de leurs graines. Pour la préparation de la marmelade et du vin, on utilise uniquement les fruits mûrs et dont la chair est devenue tendue après les premières gelées. On peut également utiliser les fruits nettement plus gros de l'espèce R. rugosa.

Ruta graveolens
RUE DES JARDINS
Répartition géographique :
Bassin méditerranéen
Semis :
printemps
Récolte : toute l'année,
Partie utilisée
feuilles

La rue des jardins est un arbrisseau semper virens qui croit à l'état sauvage en Europe méridionale et au Moyen-Orient dans les endroits ensoleillés et sur des sols légèrement perméables. Les fleurs, d'un jaune tirant sur le vert, deviennent vertes en mûrissant et se transforment en capsules vertes et lobées. Dans le jardin la multiplication s'effectue par la voie végétative ou par semis. On obtient une récolte abondante par une taille fréquente des parties non encore liquéfiées. Apres le séchage, qui nécessite environ une semaine, on équeute les feuilles. Pour l'assaisonnement, on utilise les jeunes feuilles, fraîches, séchées ou pulvérisées. Elles sont apéritives et surtout, elles apportent aux poissons, aux oeufs et au fromage un goût caractéristique. La rue des jardins est employée avec d'autres herbes comme marinade pour le gibier. On emploie toujours les feuilles de rue des jardins à très petites doses, car tout le monde ne supporte pas bien cette épice. La rue des jardins est ajoutée aux mets seulement au dernier moment, lorsque ceux-ci sont prêts. En Italie, on prépare avec la rue des jardins une eau-de-vie de raisin, qui est très connue sous le nom de « grappa». On utilise également volontiers la rue des jardins comme ingrédient dans les cocktails de jus de légumes et dans le vinaigre.

Sambucus nigra
SUREAU NOIR
Répartition géographique :
monde entier
Semis :
hiver
Récolte :
aôut-octobre
Partie utilisée :
fruits

Le sureau est de la famille des chèvrefeuilles; Il existe 25 espèces de sureau, qui poussent dans les contrées de l'hémisphère nord, ainsi que dans l'est africain, en Nouvelle-Guinée, en Australie et en Amérique du Sud. L'espèce la plus connue chez nous est le sureau noir, un arbre de 3 à 10 mètres de haut et qui pousse dans toute les régions d'Europe. Ses fleurs blanches apparaissent au commencement de l'été. Les fruits sont des akènes triples, noires qui contiennent un suc rouge. Comme épice, on utilise les fleurs et les fruits. Avec un sécateur, on coupe les inflorescences sur l'arbre. Lorsqu'elle commencent à faner, il convient d'arracher les fleurs séchées et de les placer dans un récipient bien hermétique. Durant la saison, on utilise des fleurs fraîchement cueillies sur l'arbre, car elles ont un parfum frais. Elles serviront à aromatiser la compote, la gelée et les marmelades, et on peut aussi en mettre dans la pâte avant de la faire cuire. Les baies produisent du vin et du jus qui contiennent beaucoup de vitamines C. Dans certains pays d'Europe du Nord, on prépare à base de sureau noir une soupe aux fruits qui sera consommée avec des pommes et des croquettes. Le sureau noir est également le principal ingrédient du ketchup traditionnel anglais.

Sesamum indicum
SÉSAME
Répartition géographique :
Afrique, Inde du Sud
Semis : mars mai
Récolte :
fin été
Partie utilisée :
graines

Le sésame est une plante qui atteint 60 cm de haut et dont les différentes espèces sont reconnaissables par le duvet dont elles sont recouvertes, par la forme et la disposition des feuilles ainsi que par la couleur des graines. Celles-ci peuvent être Blanches, jaunes ou brunes, voire noires. Un millier de graines pèse seulement 2,5 à 5 g. Le sésame fleurit en juin et juillet; ses fruits mûrissent en août et septembre. Le sésame est cultivé pour ses graines, qui contiennent jusqu'à 60% d'une précieuse huile. Même sous la chaleur des tropiques, celle-ci ne devient pas rance; son point de gelée se situe à environ 5°C. L'huile pure est sans goût ni parfum et elle est utilisée pour la préparation des salades, dans la cuisson des mets, et, entre autres, dans la fabrication de la margarine. Comme épice, on emploie les graines de sésame pour leur agréable goût de noix qui se dégage principalement lorsqu'on les fait griller à feu moyen. Les graines de sésame sont utilisées dans le pain, les petits pains et les pâtisseries, comme le pavot. La purée de pois chiche assaisonnée de graines de sésame très fin constitue un des principaux plats arabes.

Sinapis alba
MOUTARDE BLANCHE
Répartition géographique.
Bassin méditerranéen, Amérique du Sud
Semis :
toute l'année
Récolte : toute l'année
Partie utilisée feuilles/grains

La moutarde blanche est une plante annuelle qui atteint un mètre de haut. Elle se distingue des autres espèces de moutarde principalement par ses graines, qui sont enveloppées dans des cosses rostrées. La moutarde jaune en fleurs possède des cosses et des graines jaunes. La moutarde a une période végétative brève. La récolte commence lorsque les cosses Prennent une teinte bistre et que les graines durcissent. La plante a une prédilection pour les terrains sablonneux ou argileux, résistant au froid et riches en humus, et pour les endroits ensoleillés. La moutarde en grains est utilisée pour assaisonner les cornichons confits et les légumes, ainsi que pour la préparation des marinades.

Sorbus aucuparia
SORBIER DES OISELEURS
Répartition géographique :
Europe
Plante sauvage
Récolte :
septembre-octobre
Partie utilisée :
fruits

Le sorbier des oiseleurs (guimauve), appartient a la famille des rosacées. Le sorbier est un arbre ou un arbuste qui croit partout en Europe de l'ouest et en Europe Centrale, ainsi qu'en Europe du nord, et même au delà du cercle polaire; il est pourvu de feuilles alternes, et sa croissance est rapide. Il atteint deux mètres de haut mais sa longévité est assez modeste. Le sorbier est résistant au froid. Au printemps, il porte des ombelles de fruits blanches, qui en automne parviennent à maturité en prenant une couleur rouge; ce sont les sorbes. Les feuilles sont imparipennées, et en automne elles ont une couleur rousse. Les ombelles regroupant de nombreux fruits ont un parfum prononcé. La période de floraison est en mai- juin ; et les fruits parviennent à maturité en septembre octobre Comme épice, on tend souvent à les sous-estimer. Ils ont un goût aromatique et légèrement amer, et leur couleur rappelle celle des airelles. Les sorbes sont utilisées pour la préparation des sirops, des compotes et des vins, ainsi que pour assaisonner les rôtis de boeuf et de gibier, et les sauces en crème. Les sorbes ont une forte teneur en pectine et elles se prêtent parfaitement à la préparation des gelées. C'est pourquoi on les emploie également pour confectionner des gelées qui constitueront d'excellentes garnitures pour les viandes et poissons. Même sous la forme séchée, les sorbes ne perdent rien de leurs qualités d'épices. Les fruits du sorbier pur (var edulis) ont un goût plus doux que les autres espèces de sorbes.

Trigonelle foenum-graecum
TRIGONELLE
Fenugrec
Répartition géographique :
Bassin méditérennéen
Semis :
printemps
Récolte :
été
Partie utilisée :
grains

La trigonelle est une plante annuelle qui atteint 50 cm de haut. La floraison s'étend de juin a juillet, et les graines parviennent à maturation de juin à août La trigonelle se présente à l'état sauvage dans la nature. Dans nos pays on la cultive. On la rencontre également par endroits dans les prés, à la lisière des bois et dans les champs. La trigonelle se multiplie par semis, l'ensemencement ayant lieu dès le début du printemps. Les parties non ligneuses de la plante en fleur sont récoltées, fagotées et mises à sécher dans un endroit aéré. La température ne doit alors pas dépasser 35°C. Une fois débarrassé de ses tiges, le fruit de la récolte est conservé dans des récipients bien hermétiques. Comme épice, on utilise les graines très dures, d'un jaune brun, qui atteignent 4 cm de long et qui parviennent à maturation par groupes d'une vingtaine dans des cosses oblongues, minces et rostrées. Leur parfum fort et particulier, qui rappelle celui du fromage aux herbes, se dégage par temps sec. En lieu clos, la plante conserve longtemps son parfum intense. Les graines ont une odeur entêtante; leur goût est un peu amer, aromatique et farineux. Les graines mûres et moulues ont un parfum aromatique. Cette épice est largement employée comme ingrédient dans les mélanges de Curry et d'épices, ainsi que dans les condiments à base de fruits (chutneys). En Inde, on produit un ersatz de café à base de graines de trigonelle torréfiées.

Vitis vinifera
VIGNE
Répartition géographique :
Bassin méditerranéen, Amérique
Semis : mars-mai
Récolte :
été/août- octobre
Partie utilisée :
feuilles/raisins

Zingiber officinale
GINGEMBRE
Répartition géographique :
régions tropicales et subtropicales
Semis mars
Récolte :
septembre- mars
Partie utilisée :
racines

La vigne est un arbrisseau persistant qui atteint une taille parfois considérable. Dans les vignobles, on fait cependant en sorte de maintenir les ceps à la hauteur souhaitée. L'inflorescence et les fruits qu'elle produit sont englobés sous le nom de «grappe » bien que, du point de vue botanique, ce soit une panicule. Le fruit est une baie contenant 2 à 4 graines. La floraison est en juin- juillet, et dans certaines espèces elle dure seulement quelques jours. Selon les sortes de raisin et selon les endroits, les grappes parviennent à maturation entre août et octobre. Le vin trouve maints emplois pour accommoder les mets, notamment les volailles, les viandes et le gibier. L'addition même d'une petite dose de vin blanc ou rouge apporte une note de goût original. Il convient de ne pas oublier que l'alcool se volatilise plus vite que l'eau. La fermentation du vin blanc et du vin rouge permet de produire le vinaigre de vin; celui-ci est meilleur que le vinaigre de table ordinaire et il est employé pour les salades raffinées. Les baies séchées au soleil sont vendues dans le commerce comme raisins secs, sultanines, ou comme raisins de Corinthe. Les raisins secs proviennent de grappes de petites baies de Couleur sombre et ils contiennent des pépins, tandis que les sultanines et les raisins de Corinthe en sont dépourvus. Ils sont utilisés dans la cuisson ou pour accommoder les mets, ainsi que dans différentes sauces.

Le gingembre est une plante aromatique de la famille des zingibéracées. De nos jours le gingembre est cultivé dans pratiquement tous les pays tropicaux. Les principales régions de culture se trouvent en Inde, en Malaisie et en Chine. Avec ses tiges feuillues atteignant deux mètres de haut, le gingembre ressemble au roseau. Ses puissants rhizomes souterrains donnent naissance à cette plante aromatique connue depuis des temps immémoriaux et très prisée encore de nos jours La multiplication se fait par la voie végétative, par division du rhizome et repiquage dans un sol léger et suffisamment humide. La récolte consiste à déterrer les rhizomes entre six et douze mois après l'ensemencement. Le gingembre existe comme épice dans le commerce sous deux formes différentes. Le gingembre noir se compose de rhizomes lavés, séchés, non épluchés ou seulement en partie débarrassés de leur écorce de liège. Le gingembre blanc est épluché et blanchi. Dans le commerce, il est proposé à la pièce, moulu, confit sous la forme de dragées, ou encore comme extrait. Le gingembre moulu est utilisé dans la pâtisserie et les entremets, mais aussi dans les potages, les viandes et les poissons. C'est egalement un ingrédient de la poudre de Curry et du ketchup. Le gingembre en morceaux entre dans la préparation des Courges à l'aigre-doux.
Le gingembre est également particulièrement réputé pour la fabrication des bières (ginger-ale).

COMMENT DEVENIR CULTIVATEUR

IL EST FACILE DE CULTIVER SOI-MÊME BEAUCOUP D'HERBES FRAÎCHES EN POTS, EN BAQUETS OU EN CAISSES, DANS LES PARTERRES OU DES JARDINS POTAGERS

Il n'y a qu'un petit pas à franchir pour réaliser son propre jardin potager, car on peut placer la ciboulette dans un pot de fleurs sur le rebord de fenêtre, et ajouter un second pot avec du persil que l'on sème soi-même. Sur un balcon, on peut agrandir cette culture. Dans de grands pots bien drainés et placés dans un endroit à l'abri des courants d'air, on peut faire pousser beaucoup d'herbes à condition d'éviter la sécheresse, le gel, la vermine. Si l'on ne dispose que de peu de place, il est conseillé, plutôt que de cultiver des graines, d'acheter des plantes. En cas de besoin, le pépiniériste apportera volontiers ses conseils. Un grand nombre d'herbes se laissent facilement combiner avec des fleurs annuelles qui s'épanouissent en été; c'est le cas par exemple du romarin, de la marjolaine, du thym, de la ciboulette, de la sauge, de la lavande, de l'hysope et de la menthe.

UN ORNEMENT POUR LE JARDIN

Qui dispose d'un jardin a naturellement de tout autres possibilités. Il peut choisir entre les herbes qui sont disséminées ici et là dans le jardin, dans un coin spécial réservé aux herbes, ou une plate-bande ou un véritable potager. Une répartition en plusieurs endroits du jardin est souvent d'un plus bel effet qu'un coin uniquement réservé aux herbes près de la cuisine, avec une livèche beaucoup trop encombrante, un plant d'estragon trop expansif et qui provoque le jaunissement des pousses de ciboulette et le thym triste qui avec ses branches odorantes, se trouverait mieux au soleil sur la pierre d'une terrasse.

Qui n'est avant tout préoccupé par la forme, la taille et la floraison des plantes plutôt que par leur utilité en cuisine, peut aménager une plate-bande pour ses herbes, qui n'aura rien a envier à la plus magnifique des plates-bandes, avec de grandes ombrelles, des feuilles larges, de belles pousses, des arbustes gris et ses petits nuages délicats. Pour cela on a besoin d'un peu d'expérience, car les herbes qui améliorent nos repas nous viennent de toutes les contrées de la Terre. Alors, si nous les placions toutes sans discernement dans une seule et même plate-bande, ce serait pour ainsi dire un miracle qu'elles prospèrent toutes, aussi bien les unes que les autres.

LE VRAI POTAGER

Un bon potager est conçu de telle manière que l'on puisse récolter la plus grande quantité possible d'herbes différentes. A chaque herbe est affectée sa propre plate-bande, qui sera entretenue avec soin. La terre doit être adaptée à chacune des herbes. On a pratiquement toujours besoin d'une terre meuble et perméable qui sera mélangée avec du sable ou de la tourbe. Les herbes originaires du Bassin méditérranéen, comme le thym, le romarin, l'ail, le fenouil bâtard et le fenouil se voient affecter une petite place ensoleillée. Mais les plantes sylvestres, par exemple l'aspérule odorante et la mélisse, seront disposées un peu plus à l'ombre.

Par une disposition un peu sobre et neutre, le résultat peut cependant être très beau. Aussi un jardin potager est-il comme un petit monde à lui tout seul quand on l'aménage derrière une haie ou une autre séparation dans un grand jardin. On peut également délimiter les différentes plates-bandes potagères, en les séparant les unes des autres par des allées de brique, une méthode qui est très prisée en Angleterre. Un «damier» de briques et de carrés d'herbe de tailles égales peut également être du plus bel effet. Le mieux est de voir d'abord quelques jardins potagers déjà aménagés. Ainsi, l'orientation peut par exemple révéler qu'en se développant, certaines herbes se transforment en de grands buissons ronds, qui ne tiennent pas dans la petite plate-bande qui avait été prévue pour elles. Il existe des jardins potagers datant de plusieurs siècles et qui sont encore très bien entretenus.

SECHER ET CONSERVER SOI-MEME SES HERBES

Il s'avère qu'un certain nombre d'herbes présentent le maximum de leur arôme au milieu d'une journée ensoleillée. Aussi est-ce également le meilleur moment pour les cueillir. La plupart des plantes doivent être cueillies avant la floraison. Si on ne la coupe pas trop bas, la plante repoussera, de sorte que l'on pourra faire par la suite une nouvelle récolte. Les plantes cueillies seront suspendues en bottes lâches dans un endroit sec et à l'abri du soleil. On peut également sécher les herbes au four : lentement, à feu tiède, ou plus rapidement à feu vif, puis l'on éteint le feu. Dans les deux cas, on laisse la porte du four grand ouverte. Les herbes doivent être bien étalées sur le plateau du four. Elles sont assez sèches lorsque les tiges deviennent friables et qu'elles craquent. Ensuite, on arrache les feuilles et on les conserve dans un emballage bien hermétique.

Certains jardiniers se sont spécialisés dans la culture des jeunes plantes qui sont livrées dans de grands pots de 17 cm. Ces pots sont disponibles dans des centres horticoles, des graineteries et autres. On peut choisir le basilic, la ciboulette, l'estragon, le cerfeuil, la livèche, la marjolaine, le romarin, la sauge, le céleri et le

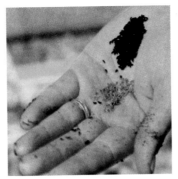

marjolaine sauvage, et dans la main, les graines de fenouil bâtard et de la ciboulette (les plus sombres). En utilisant une petite pelle, on risque d'endommager légèrement les racines. Chaque herbe doit avoir son propre pot ou sa propre caissette. La terre doit être meuble; pour cela, on la mélange avec de la tourbe ou du sable.

thym. Les plantes sont pourvues de nombreuses racines et peuvent continuer à pousser sans problème après l'empotage. On peut acheter de jeunes plantes à partir de mars. Comme beaucoup de gens sont intéressés par l'idee de cultiver eux-mêmes leurs herbes, de nombreux produits affluent sans cesse sur le marché. Bien entendu, on peut également s'en remettre aux méthodes de culture à l'ancienne. Cependant, faire soi-même l'ensemencement signifie toujours qu'il faudra attendre plus longtemps avant de pouvoir récolter. Pour les herbes de cuisine, il convient de prévoir des bacs spéciaux qui supporteront un fort ensoleillement, pour le romarin, le thym et l'hysope. On ne saurait se passer de romarin dans les plats de viande, il a un arôme somptueux, même lorsque le goût est un tant soit peu fort. Le thym convient particulièrement à la betterave rouge. Hormis son arôme remarquable, l'hysope a une floraison particulièrement riche et belle.

DES TROUS DANS LE FOND ET UN BON TERREAU

Il est recommande de creuser des trous dans le fond du bac afin d'éviter que les pieds soient inondés. Une fois cette opération effectuée, on pourra arroser abondamment sans risque.
Afin de permettre l'évacuation de l'excédent d'eau, on place le bac sur des briques ou des pavés. Cela permet en outre une circulation d'air au niveau des racines. Au fond du bac, on place une couche de tessons de poterie (ou bien seulement un tesson bombé au-dessus des trous), ou du gravier. De cette façon, on évite que les trous se bouchent.
Il faudra veiller à ce que la terre soit de bonne qualité; ceci est particulièrement important dans le cas des plantes en bac. On pourra par ailleurs mélanger du bon terreau avec un peu de compost de jardin. Avant de mettre les plantes dans le bac, il faut qu'elles soient complètement gorgées d'eau.

A CHAQUE PLANTE LE BAC QUI LUI CONVIENT

La question de l'achat d'un bac ne se pose qu'a partir du moment où l'on sait quelles plantes on veut cultiver et quelle taille approximative elles peuvent atteindre. Un petit bac de forme allongée (40 x 15 x 15 cm) convient uniquement aux herbes qui ne deviennent pas trop grandes, comme la ciboulette, la sarriette de jardin et le basilic. Ces plantes atteignent 30 à 40 cm de haut. Les bacs sont en fibrociment.
Un bac un peu plus grand (50 x 20 x 20 cm) convient aux plantes elles aussi un peu plus grandes, comme le cerfeuil, la menthe poivrée et la mélisse. Ces herbes atteignent une hauteur d'environ 50 cm. La taille de ces plantes peut être très variable et elle dépend de la quantité des nutriments, de l'emplacement et du procédé employé pour la récolte.

Le bac rond est très grand (40 cm de diamètre), mais pas aussi haut (15 cm). On peut aménager un joli petit jardin en suspendant ce bac à un mur : derrière se trouvent les plantes hautes (hysope, estragon) et devant les petites plantes (céleri, thym, sarriette de jardin).

Un bac carré de 35 x 35 cm est celui qui convient le mieux à la livèche, une herbe magnifiquement aromatique (si on laisse infuser une feuille de livèche dans un bouillon le parfum se répand dans toute la pièce. Après cela il faut retirer la feuille).

Comme la livèche a une croissance très rapide, on gagne à la cultiver soi-même. Elle atteint environ 2 cm de haut. Le bac carré convient particulièrement bien à la livèche, car c'est une plante vivace sur laquelle on peut récolter pendant 2 années de suite si l'on renouvelle la couche supérieure de terreau.

ON PEUT ACHETER LES HERBES DE CUISINE SUIVANTES SOUS LA FORME DE PLANTES

Citronnelle, mélisse, estragon, hysope, menthe crépue, livèche, lavande, aspérule odorante, marjolaine (plante vivace), raifort sauvage, menthe, menthe poivrée (à feuilles noires), pimprenelle, romarin, sauge, vrai thym citronné d'hiver et thym jaune.

Les herbes annuelles et à culture annuelle sont l'anis, le basilic, la sarriette de jardin, la bourrache, le fenouil bâtard, la camomille, le cerfeuil, l'ail, le cumin, la coriandre, la marjolaine, le persil, le céleri, le cresson de jardin, le thym d'été, le fenouil. Les herbes et plantes de cuisine les plus couramment utilisées sont l'absinthe, la ciboulette, la sarriette de jardin (plante vivace), la mélisse, l'estragon, l'hysope, le cumin vrai, la menthe crépue, la livèche, la lavande, l'aspérule odorante, la marjolaine (plante vivace), le raifort sauvage, la menthe poivrée, la pimprenelle, le romarin, la sauge, le thym d'hiver.

CULTIVER SOI-MEME SES HERBES SUR UN BALCON

Qui dispose d'un balcon ou d'une terrasse peut cultiver des herbes. Qu'elles soient de jardin ou de cuisine, elles prospèrent bien dans des bacs si on les entretient régulièrement et si elles ne sont pas trop exposées au soleil ou au vent. Quelques heures d'ensoleillement chaque jour suffisent.

Le mieux consiste à choisir - sauf exception - des plantes qui en se développant ne deviennent pas trop grandes. Dans ce choix intervient bien sûr la question de savoir si l'on aime employer les herbes en question. Les herbes auxquelles on recourt régulièrement sont au nombre de sept : la ciboulette, le thym, le persil, le céleri, la sarriette de jardin, la livèche et le cerfeuil.

Les herbes (annuelles et plantes vivaces) que l'on peut semer soi-même sont nombreuses, mais pour la culture en pots, il est plus simple d'acheter des plantes, souvent une ou deux plantes de chaque sorte suffisent. Pour semer, dès la fin mai il est déjà fort tard. Cela dit, ensuite le semis prend vite car la température du sol est favorable; qui apprécie la ciboulette et veut en avoir un pot, peut très bien en semer. Cependant, il ne faut pas oublier que l'on aura des plantes normales seulement la deuxième année (la ciboulette étant une plante vivace). En général, le plus simple est d'acheter des plants. Si l'on utilise les grandes feuilles pour le repas, on peut planter le reste dans le pot. Ceci vaut surtout pour le persil, le céleri, la ciboulette et le cerfeuil. On peut également mettre en terre un bulbe d'ail entier ou des gousses séparées mais très serrées.

L'HIVERNAGE DE CERTAINES PLANTES HERBACÉES

L'anis, le basilic, la sariette de jardin annuelle, la bourrache, le fenouil bâtard, la camomille, le cerfeuil, l'ail, le cumin, la coriandre, la marjolaine vraie, le persil, le céleri, le cresson et le fenouil (tubéreux) sont des plantes herbacées annuelles. En automne elles reçoivent trop peu de lumière et de chaleur et dépérissent lentement. Certaines se sont déjà reproduites spontanément par dissémination des graines (si l'on n'empêche pas ce processus). La même chose vaut pour les plantes qui sont à proprement parler des plantes qui sont cultivées annuellement : le persil, le céleri et l'ail. Si durant les mois d'hiver on ne veut pas en manquer, on met quelques plantes dans un grand pot sur le rebord de la fenêtre. Ils ne doivent pas être soumis à une chaleur excessive tout en recevant le plus de lumière possible. On peut semer du cresson chez soi tout au long de l'année (en dehors de l'été). Pour les autres plantes, on peut faire sécher des feuilles (sarriette de jardin et cerfeuil) ou conserver les graines (anis, basilic et cumin).

Les plantes vivaces comme la sarriette de jardin, l'hysope, la lavande, le romarin, la sauge et le thym ont un port arbustif et sont plus ou moins semper virens. On fait hiverner le romarin de préférence dans un pot à l'abri du gel car cette plante résiste mal au froid. Si cela n'est pas possible, il faut protéger la plante en la couvrant, le thym ne dépasse pas une taille relativement modeste.

De cette façon, on peut disposer tout au long de l'année d'herbes fraîches ou séchées. Les herbes séchées doivent toujours être conservées dans des bocaux ou des boîtes bien hermétiques.

A droite de haut en bas : un bouquet de quelques herbes que l'on peut cultiver facilement : le soucis avec ses fleurs violettes, la marjolaine. A gauche : chez le marchand de légumes se vendent beaucoup d'herbes fraîches.

A CHAQUE CUISINE SES HERBES PRÉFÉRÉES

CHAQUE CUISINE A SES HERBES DE PRÉDILECTION.
LES HERBES FRAÎCHES ONT TOUJOURS LA PRÉFÉRENCE. LES HERBES FORTEMENT
AROMATIQUES ET LES ÉPICES NE DOIVENT ÊTRE EMPLOYÉES QU'EN PETITES QUANTITÉS

Les herbes sont pour la plupart des plantes non lignifiées ordinairement annuelles et qui se sont développées à partir des graines et dont les fleurs, les feuilles, les graines, les tiges et les racines sont utilisées comme des épices dans la cuisine ou dans les applications médicinales. Le mot herbe provient du latin «herba» qui signifie «herbe» ou «plante». En remontant le fil des civilisations, on s'aperçoit que déjà dans la plus haute Antiquité perse, égyptienne, arabe, grecque, indienne et chinoise, il existe des textes dans lesquels on trouve des détails concernant leur culture et leur utilisation. Le nom de beaucoup d'herbes et de plantes remonte au Moyen-Age, après la chute de Rome, à l'époque où les monastères d'Europe étaient l'équivalent de centres agronomiques qui cultivaient leurs propres herbes et leurs «médecines».
Les noms des herbes cueillies à des fins médicinales ont souvent une consonance alchimique,

comme la trigonelle et l'Armoise, l'absinthe et la mélisse. De fait, presque toutes les herbes possèdent des propriétés médicinales et certaines, par exemple la rue des jardins, produisent les substances de base de toute une gamme de drogues qui jouent un rôle en pharmacie. Beaucoup sont à double emploi, aussi bien dans la cuisine qu'en médecine. Certes on ignore à quoi elles servaient, mais déjà longtemps avant l'avènement des temps modernes, on pressentait que l'art de la médecine était un dérivé de l'art culinaire, lequel contribua à son développement rapide. Quoi qu'il en soit, vers 5 000 avant J.C. les Sumériens utilisaient déjà le thym et le laurier à des fins thérapeutiques, et les Chinois possédaient déjà vers 2 700 avant J.C. un livre sur les herbes dans lequel 365 plantes étaient décrites.

Les herbes se sont vu accorder également une signification magique et religieuse. Par exemple, les Romains croyaient qu'une couronne de feuilles de laurier protégeait celui qui la portait contre la foudre. Les innombrables livres sur les herbes qui furent imprimés dans l'Europe des 16ème et 17ème siècles connurent un vif succès populaire et ils exercèrent une influence sur les mentalités car ils combinaient la botanique, la magie, la médecine et l'astrologie.

PÂTISSERIE

BISCUITS AU GINGEMBRE

RECETTE AMÉRICAINE

Pour la pâte :
250 g de farine,
1 ½ cuillerée à café de levure,
1 oeuf, 1 pincée de sel,
2 cuillerées à soupe de lait (30 g),
1 cuillerée à soupe de gingembre moulu,
zeste d' 1 citron râpé, 140 g de sucre,
125 g de margarine, farine pour le plan de travail,
margarine pour la plaque.
Pour le nappage :
125 g de sucre en poudre,
1 cuillerée à soupe de jus de citron,
1 cuillerée à soupe de sirop de gingembre

Mélanger la farine et la levure, avant de les disposer sur une planche à pâtisserie ou sur un plan de travail. Creuser un puits au milieu, afin d'y déposer le sel, l'oeuf et le lait. Verser le gingembre, les écorces de citron et le sucre en pluie fine, puis répartir la margarine coupée en petits morceaux sur le pourtour. Pétrir rapidement la pâte de l'extérieur vers l'intérieur, jusqu'à obtention d'une masse lisse. Laisser reposer pendant 30 minutes au réfrigérateur en couvrant bien. Sur une surface farinée, étaler la pâte à 3-4 mm d'épaisseur, avant de la couper en carrés de 5 cm de côté, que l'on dépose sur une plaque en tôle soigneusement graissée. Introduire la plaque au milieu du four préalablement chauffé.

Temps de cuisson : 15 minutes. Four électrique : 200°C. Four à gaz : thermostat 3. Laisser refroidir sur une grille à pâtisserie. Pour le nappage, verser le sucre en poudre dans une terrine. Ajouter le jus de citron et le sirop de gingembre, mélanger jusqu'à obtention d'une émulsion lisse, dont on recouvre les petits gâteaux. **Quantité** : 42 petits gâteaux ou 2 grandes plaques.

NOIX AU POIVRE

5 oeufs, 500 g de sucre,
zeste d'1 citron râpé, 1 pincée de sel,
1 pincée de cannelle,
autant de noix de muscade râpée,
de gingembre moulu, de piment, de cardamome,
3 pincées de poivre blanc,
60 g d'écorces de citron confites et coupées en petits morceaux,
autant d'écorces d'oranges confites,
1 cuillerée à soupe de rhum,
1 pincée de sel volatil, 750 g de farine,
farine pour saupoudrer,
margarine pour la plaque du four.

Battre les oeufs dans une terrine. Faire couler doucement le sucre pour l'incorporer aux oeufs. Ajouter, en même temps que la farine, le zeste de citron, le sel, les épices, les écorces d'orange et de citron confites et le sel volatil dissous dans le rhum. Malaxer jusqu'à obtention d'une pâte souple. Laisser reposer au frais pendant une nuit en couvrant bien.

Le lendemain, modeler la pâte en petites boules de 2 cm de diamètre environ. Passer dans un peu de farine. Enduire la plaque du four de matière grasse, avant d'y déposer les noix au poivre. Introduire au milieu du four préalablement chauffé.

Temps de cuisson : 20 minutes. Four électrique : 180°C. Four à gaz : thermostat 3 ou $\frac{1}{3}$ de la flamme. Retirer du four la plaque contenant les noix au poivre; laisser refroidir celles-ci sur une grille à pâtisserie.

Préparation : 30 minutes sans interruption.
Réalisation : 40 minutes.
Environ 50 calories/209 joules.

PS : On peut, avant de les introduire dans le four, badigeonner les noix avec un peu de rhum ou de kirsch.

PETITS TRIANGLES AU GINGEMBRE

250 g de farine, 1 oeuf,
1 pincée de sel, 125 g de margarine, 65 g de sucre,
1 sachet de sucre vanillé,
5 demi-morceaux de gingembre confit (50 g),
farine pour saupoudrer,
margarine pour la plaque du four

Disposer la farine sur une planche à pâtisserie ou sur un plan de travail. Au milieu, creuser un puits, afin d'y déposer l'oeuf et le sel, répartir la margarine coupée en petits morceaux sur le pourtour. Verser le sucre et le sucre vanillé en pluie fine. Pétrir vivement de l'extérieur vers l'intérieur pour obtenir une pâte brisée. Incorporer 3 demi-morceaux de gingembre coupés en dés très fins. Laisser reposer la pâte sur une assiette que l'on place pendant 30 minutes au réfrigérateur, en couvrant bien. Retirer la pâte du réfrigérateur, avant de l'étaler sur une surface farinée à 3 mm d'épaisseur. Decouper des triangles. Couper le reste du gingembre en petits dés, pour en garnir chacun des petits triangles. Déposer les biscuits sur une plaque préalablement beurrée, que l'on introduit au milieu du four déjà chaud.
Temps de cuisson : 10 minutes. Four électrique: 200° C. Four à gaz : Thermostat 3. Retirer la plaque du four. A l'aide d'une spatule, décoller prudemment les biscuits de la plaque, avant de les mettre à refroidir sur une grille à pâtisserie.
Quantité : 2 plaques ou 60 petits triangles.
Préparation : 15 minutes sans le refroidissement.
Réalisation : 30 minutes.
Environ 40 calories /167 joules.

PAIN AU FENOUIL

500 g de farine, 40g de levure,
1 pincée de sucre,
4 cuillerées à soupe de lait tiède,
2 oignons, 20g de fenouil séché,
½ cuillerée à café de sel,
5 cuillerées à soupe d'huile,
2 oeufs, margarine pour la plaque,
eau pour humidifier le pain.

Disposer la farine dans une terrine. Au milieu, creuser un puits, afin d'y déposer la levure et le sucre. Mélanger avec le lait et un peu de farine pour obtenir une première pâte grossière. Déposer cette pâte dans un endroit chaud afin de la faire doubler de volume, ce qui demande 20 à 25 minutes. Eplucher les oignons avant de les hacher très fin. Les mélanger à la pâte en même temps que le fenouil, le sel, l'huile et les oeufs. Pétrir jusqu'à obtention d'une pâte lisse et homogène. Laisser lever pendant 20 à 30 minutes, avant de pétrir à nouveau. Donner à la pâte la forme d'un pain allongé, que l'on dépose sur la plaque du four préalablement enduite de matière grasse. Dessiner des entailles obliques à la surface du pain. Humidifier à l'aide d'un pinceau. Laisser lever à nouveau, avant d'introduire en bas du four chaud.
Temps de cuisson : 40 à 45 minutes. Four électrique : 225°C. Four à gaz : thermostat 4.
Préparation : 65 minutes.
Réalisation : 50 minutes.
Environ 2485 calories/10400 joules au total. Servir avec du poisson bouilli, de la salade d'oeufs et de crabe.

PETITS PAINS AU CUMIN

Pour la pâte :
300 g de farine, 20g de levure
$^1/_8$ de lait tiède, 1 cuillerée à café de sucre (5 g)
1 cuillerée à soupe de cumin, margarine,
bonne pincée de sel
zeste râpé d'1 citron, 1 oeuf, 50 g de margarine
ainsi que de la margarine pour la plaque,
1 jaune d'oeuf
1 cuillerée à café de lait (5 g)
1 pincée de sel, 2 cuillerées à soupe de cumin

Disposer la farine dans une terrine. Au milieu, creuser un puits, afin d'y déposer la levure en morceaux. Malaxer avec un peu de lait tiède et le sucre, pour obtenir une première pâte grossière. Déposer bien couvert dans un endroit chaud, afin de laisser lever pendant 15 minutes.

Entre-temps, hacher le cumin. Mélanger le cumin avec un peu de margarine pour éviter que les grains ne se dispersent pendant cette opération. Verser sur la farine le reste du lait, ajouter le sel, le cumin haché, les écorces de citron, l'oeuf et la margarine coupée en petits morceaux. Malaxer le tout ensemble jusqu'à obtention d'une pâte lisse. Pétrir jusqu'à ce que la pâte forme des bulles et se détache bien du bord de la terrine. Laisser à nouveau lever pendant 45 minutes. Donner à la pâte la forme de petits pains ronds, d'un diamètre de 4 cm, que l'on dépose à 4 cm les uns des autres sur la plaque du four préalablement enduite de matière grasse.

Laisser à nouveau gonfler pendant une dizaine de minutes. Battre ensemble le lait et le jaune d'oeuf. Ajouter le sel, avant d'en badigeonner les petits pains à l'aide d'un pinceau. Parsemer de cumin. Introduire au milieu du four chaud. **Temps de cuisson** : 20-2 5 minutes. Four électrique : 200°C. Four à gaz : thermostat 3. Retirer la plaque du four, puis laisser les petits pains refroidir sur une grille à pâtisserie. **Quantité** : 8 petits pains.

Préparation : 20 minutes sans interruption. **Réalisation** : 30 minutes. Environ 235 calories/983 joules. Peut se servir à tout moment de la journée : au petit déjeuner, à l'heure du thé ou au dîner pour accompagner le potage.

BOUCHÉES AU GINGEMBRE SUEDOISES

Pour la pâte :
125 g de margarine, 125 g de sucre en poudre
75 g de navette, 200 g de farine,
½ sachet de levure
1 cuillerée à café de poudre de girofle,
autant de cannelle
½ cuillerée à café de poudre de gingembre,
margarine pour la plaque du four
farine pour saupoudrer, 240 g d'amandes entières,
épluchées pour la décoration

Battre la margarine dans une terrine jusqu'à obtention d'une masse mousseuse. Ajouter le sucre en poudre et la navette. Mélanger la farine avec la levure et les épices, avant de les incorporer progressivement au reste. Pétrir soigneusement. Déposer la pâte sur une planche à pâtisserie avant de la pétrir à nouveau.

Couper la pâte en 6 morceaux. Donner à chacun la forme d'un rouleau d'un diamètre d'une pièce de 5 francs. Envelopper dans du papier aluminium et laisser reposer pendant 2 heures au réfrigérateur. Enduire la plaque du four de matière grasse, avant de la saupoudrer légèrement de farine. Couper les rouleaux de pâte en rondelles d'½ cm d'épaisseur, que l'on dépose sur la plaque. Garnir chacune d'elles d'une amande entière. Introduire au milieu du four préalablement chauffé.

Temps de cuisson : 10 minutes environ. Four électrique : 175°C. Four à gaz : thermostat 2 ou 1/2 flamme. **Quantité** : 100 bouchées.

Préparation : 20 minutes sans le refroidissement. **Réalisation** : 20 minutes.

Environ 40 calories / 167 joules.

PAIN AU CUMIN

500 g de farine, 25 g de levure
1 cuillerée à café de sucre,
5 cuillerées à soupe d'eau tiède
¹/₈ l de lait tiède, 2 oeufs
125 g de margarine ramollie,
farine pour saupoudrer
30 g de sucre, 1 cuillerée à soupe de sel
2 cuillerées à soupe de cumin

Verser la farine dans une terrine. Au milieu, creuser un puits, afin d'y déposer la levure en morceaux. Ajouter le sucre, puis pétrir avec de l'eau pour obtenir une première pâte grossière. Saupoudrer avec un peu de farine, avant de laisser gonfler pendant 10 à 15 minutes dans un endroit chaud. Incorporer ensuite le lait, les oeufs et la margarine coupée en petits morceaux. Malaxer et pétrir jusqu'à obtention d'une pâte lisse. Mettre en boule, déposer dans un grand récipient. Puis arroser d'eau froide : l'eau doit recouvrir la pâte de 4 cm. Au bout de 10 à 15 minutes, la pâte émerge à nouveau du liquide. La retirer alors de son bain pour l'essuyer avec du papier absorbant, avant de la déposer sur la plaque du four préalablement saupoudrée de farine. Ajouter le sucre, le sel et le cumin. Bien malaxer. Donner au pain la forme d'une boule. Saupoudrer la plaque du four avec de la farine, avant d'y déposer le pain. Recouvrir d'un torchon. Laisser lever pendant 30 minutes. Retirer le torchon avant d'introduire la plaque au milieu du four préalablement chauffé.

Temps de cuisson : 50 minutes. Four électrique : 200°C. Four à gaz : thermostat 3. Couper le pain en 22 tranches de 35 g chacune.

Préparation : 15 minutes sans interruption.

Réalisation : 55 minutes.

Environ 150 calories/628 joules.

Servir en toasts ou en sandwiches, quand vous avez des invités imprévus le soir.

BRETZEL A LA VANILLE

Pour la pâte :
250 g de farine, 1 oeuf, 1 pincée de sel,
100 g de sucre
1 sachet de sucre vanillé,
½ gousse de vanille, 100g de margarine
farine pour étaler la pâte,
margarine pour la plaque du four
Pour le glaçage : 75 g de sucre en poudre,
1 sachet de sucre vanillé
1 cuillerée à soupe d'eau

Pour faire la pâte, verser la farine sur le plan de travail. Au milieu, creuser un puits afin d'y déposer l'oeuf et le sel. Ajouter le sucre et le

sucre vanillé en pluie fine. Ouvrir la gousse de vanille dans le sens de la longueur pour en extraire l'intérieur que l'on répand sur le sucre. Répartir sur le pourtour la margarine sortant du réfrigérateur et coupée en petits morceaux. Pétrir vivement de l'extérieur vers l'intérieur pour obtenir une pâte brisée, que l'on dépose dans le réfrigérateur pendant 30 minutes en la couvrant bien. Donner ensuite à la pâte coupée en morceaux la forme de rouleaux de la longueur et de la grosseur d'un crayon. Les enrouler à la manière des bretzels. Enduire la plaque du four de matière grasse, avant d'y déposer les bretzels. Remettre au frais pendant 30 minutes. Introduire la plaque au milieu du four préalablement chauffé.

Temps de cuisson : 10-15 minutes. Four électrique : 175-200°C. Four à gaz : thermostat 2-3. Retirer la plaque du four, puis déposer les breetzels sur une grille à pâtisserie pour les faire refroidir. Pour le glaçage, verser le sucre en poudre dans un récipient. Mélanger avec le sucre vanillé et de l'eau, battre en une masse lisse, dont on enduit les bretzels. Bien laisser sécher. **Quantité** : 32 bretzels.

PAIN AU SAFRAN

500 g de farine, 35 g de levure, 80g de sucre,
$^1/_8$ l de lait tiède,
½ cuillerée à café de safran moulu,
125 g de margarine, 1 pincée de sel,
1 oeuf, 1 jaune d'oeuf, 1 verre (2 cl) de rhum,
100 g de raisins secs
100 g d'amandes pilées, farine pour le moule
margarine pour le moule
Pour le dessus : 1 jaune d'oeuf
1 cuillerée à soupe de lait
Pour la décoration :
2 cuillerées à soupe de sucre en flocons

Verser la farine dans une terrine. Au milieu, creuser un puits, afin d'y déposer la levure en morceaux. Saupoudrer avec une cuillerée à café de sucre. Ajouter un tiers du lait. Malaxer ces ingrédients avec un peu de farine pour obtenir une pâte grossière. Laisser lever pendant 15 minutes dans un endroit chaud, en couvrant bien. Dissoudre le safran dans le reste du lait. Faire fondre la margarine dans une poêle. Mélanger la pâte avec le reste de la farine. Ajouter le sucre restant, le lait parfumé au safran, la margarine fondue, le sel, l'oeuf, le jaune d'oeuf et le rhum. Pétrir et malaxer le tout jusqu'à ce que la pâte fasse des bulles. Laver les raisins secs à l'eau chaude, avant de les essuyer et de les incorporer à la pâte en même temps que les amandes. Laisser lever pendant 20 minutes en couvrant bien.
Travailler rapidement la pâte sur le plan de travail préalablement saupoudré de farine. Donner à la pâte la forme de trois rouleaux de 50 cm de longueur que l'on tresse ensemble. Enduire la plaque du four de margarine, avant d'y déposer le pain. Laisser à nouveau lever pendant 20 minutes en couvrant bien. Puis introduire au milieu du four chaud.
Temps de cuisson : 40 minutes. Four électrique : 200°C. Four à gaz : thermostat 3. Battre le lait et le jaune d'oeuf ensemble. 10 minutes avant la fin de la cuisson, enduire le pain de ce mélange à l'aide d'un pinceau ; saupoudrer de flocons de sucre. Attendre la fin de la cuisson, avant de faire refroidir et de découper en une vingtaine de tranches.
Préparation : 30 minutes sans interruption.

Réalisation : 45 minutes.
Environ 220 calories/920 joules.

ETOILES A LA CANNELLE

500 g d'amandes non épluchées, 4 blancs d'oeufs
1 pincée de sel, 300 g de sucre en poudre,
1 cuillerée à soupe de jus de citron
1 cuillerée à café de poudre de cannelle
margarine pour la plaque du four

Frotter les amandes dans un torchon, avant de les moudre finement dans un moulin à amandes ou avec un robot de cuisine. Ajouter une pincée de sel aux blancs d'oeufs, avant de les battre en neige très ferme. Tout en continuant à battre, incorporer lentement le sucre en poudre et le jus de citron. Prélever 4 cuillerées à soupe d'oeufs battus en neige. Placer au frais en couvrant bien. Incorporer délicatement la cannelle et 450 g d'amandes aux blancs d'oeufs en neige. Parsemer le plan de travail avec le reste des amandes pilées. Etaler prudemment la pâte (elle se déchire facilement) par petites portions de 5 mm d'épaisseur. Découper de petites étoiles (diamètre : 6 cm environ).
Recouvrir la plaque du four d'une feuille de papier aluminium, que l'on enduit de matière grasse avant d'y déposer les étoiles à la cannelle. Etaler les blancs en neige mis de côté à la surface de celles-ci. Introduire la plaque au milieu du four préalablement chauffé. Les étoiles parfumées à la cannelle doivent plus sécher que cuire.
Temps de cuisson : 15-20 minutes. Four électrique : 125°C. Four à gaz : thermostat 1. Retirer les étoiles du four, les détacher prudemment du papier à l'aide d'une spatule, avant de les mettre à refroidir sur une grille à pâtisserie. Conserver dans des récipients bien fermés. **Quantité** 65 étoiles.
Préparation : 60 minutes.
Réalisation : 40 minutes.
Environ 60 calories/251 joules.

PS : Laisser perdre le moins de pâte possible en découpant les étoiles. Les restes ne peuvent en effet plus être étalés. Le mieux sera d'en faire de petites boules que l'on aplatira à l'aide d'une fourchette.

GARNITURES

FRUITS AU CURRY

4 demi-pêches en boîte,
4 tranches d'ananas en boîte
2 pommes moyennes, 2 bananes,
30 g de margarine
2 cuillerées à soupe de curry en poudre

Bien égoutter les moitiés de pêches et les tranches d'ananas. Laver les pommes, avant de leur enlever le coeur et de les couper en rondelles d'1 à 1 cm 1/2 d'épaisseur. Eplucher les bananes, avant de les partager en deux dans le sens de la longueur. Faire fondre la margarine, verser la poudre de curry et mélanger. Recouvrir les fruits avec cette préparation. Garnir la plaque du four d'une feuille de papier aluminium, avant d'y déposer les fruits. Introduire dans le four préalablement chauffé.

Temps de cuisson : 10 minutes. Four électrique: 200°C. Four à gaz : thermostat 3.
Préparation : 10 minutes.
Réalisation : 15 minutes.
Environ 230 calories/965 joules.
Servir en garniture avec un steak ou une côtelette d'agneau. Ces fruits au curry accompagnent aussi très bien le poulet rôti et la viande de porc grillée.

RIZ AU GINGEMBRE

2 l d'eau, sel, 250 g de riz long
1 cuillerée à soupe de margarine
2 morceaux de gingembre en conserve (40 g)

Porter l'eau et le sel à ébullition dans une casserole assez basse. Verser le riz dans une passoire afin de le laver, puis faire égoutter et jeter dans l'eau bouillante. Laisser cuire 15 minutes. Remettre le riz dans la passoire pour le passer sous l'eau froide; laisser égoutter. Faire chauffer la margarine dans une poêle. Couper les morceaux de gingembre en fines lamelles que l'on fait revenir dans la margarine. Ajouter le riz, remuer jusqu'à ce qu'il soit sec et que les grains se détachent bien.

Préparation : 10 minutes.
Réalisation : 20 minutes.
Environ 290 calories/ 1214 joules.
Servir avec de la laitue et des boulettes de beefsteack haché.

MACARONI A LA SAUGE

3 l d'eau, sel, 500 g de macaroni
8 feuilles de sauge fraîche ou 1 cuillerée à café de sauge séchée 1 gousse d'ail, 5 cuillerées à soupe d'huile (50 g), poivre noir, 1 cuillerée à soupe de câpres (10g), 150g d'emmenthal râpé
½ bouquet de persil

Dans un grand récipient, porter l'eau salée à ébullition avant d'y jeter les macaroni. Laisser cuire pendant 20 minutes sans couvrir. Pendant ce temps, laver, égoutter et hacher finement les feuilles de sauge. Eplucher la gousse d'ail avant de la hacher à son tour. Faire chauffer l'huile dans une poêle. Faire revenir la sauge et l'ail en remuant bien. Verser les macaroni dans une passoire, passer sous l'eau froide, égoutter. Jeter les macaroni dans le mélange de sauge et d'ail. Assaisonner avec du sel, du poivre, ajouter des câpres. Parsemer de fromage râpé. Mélanger délicatement, avant de disposer dans un plat préalablement chauffé. Garnir de persil lavé et bien égoutté.

Préparation : 10 minutes.
Réalisation 25 minutes.
Environ 765 calories / 3202 joules.

RIZ AU PAPRIKA

2 poivrons verts (600 g), 2 poivrons rouges (600 g)
2 oignons (80 g),
5 cuillerées à soupe d'huile d'olive (50 g)
200 g de jambon cuit, 250 g de riz long,
I verre de vin blanc, I cuillerée à soupe de paprika
doux I boîte de concentré de tomate (70 g)
½ I d'eau chaude, sel, poivre blanc
poudre d'ail, I oeuf dur

Nettoyer, laver et essuyer les poivrons avant de les couper en fines lamelles. Eplucher et émincer les oignons. Faire chauffer l'huile dans une casserole. Faire revenir les oignons et les lamelles de poivrons pendant 5 minutes. Couper le jambon en petits dés. Joindre au reste dans la casserole. Faire revenir à nouveau 5 minutes. Laver le riz jusqu'à ce que l'eau reste claire. Bien égoutter, puis verser dans la casserole. Ajouter le vin blanc, le paprika et le concentré de tomate, bien mélanger. Faire chauffer pendant 5 minutes sans cesser de remuer. Ajouter l'eau chaude, saler fortement. Laisser cuire le riz sur feu doux pendant 15 minutes en couvrant bien. Assaisonner avec du poivre et de la poudre d'ail. Disposer sur un plat préalablement chauffé. Eplucher l'oeuf dur, avant de le couper en rondelles, que l'on depose sur le riz en décoration. Servir immédiatement.

Préparation : 15 minutes.
Réalisation : 35 minutes.
Environ 580 calories / 2427 joules.
Servir avec de la laitue ou un assortiment de salades. Comme boisson, nous recommandons un vin blanc léger. Le riz au paprika accompagne aussi très bien les plats de volaille, les viandes de veau et de porc.

GRATIN DE POIVRONS

Pour la sauce Mornay :
40g de jambon, I oignon (40 g), 30g de margarine
30g de farine, ¼ I de bouillon de viande bouillant
(en cubes)
¼ I de lait, sel, poivre blanc, I jaune d'oeuf
50g d'emmenthal râpé
2 oignons (80 g), 40g de margarine,
2 cuillerées à soupe d'eau
8 petits poivrons (800 g), 30g de parmesan râpé

Couper le jambon et les oignons épluchés en petits dés. Faire fondre la margarine dans une casserole. Faire dorer les dés de jambon et les oignons pendant 5 minutes. Ajouter la farine, puis, sans cesser de remuer, verser le bouillon chaud, puis le lait. Laisser cuire pendant 5 minutes. Passer la sauce. Assaisonner avec du sel et du poivre. Battre le jaune d'oeuf dans une tasse avec un peu de sauce, avant de le verser dans la casserole et de le mélanger avec le reste. Faire réchauffer, mais sans bouillir. Ajouter le fromage. Tourner jusqu'à ce qu'il soit complètement fondu.

Eplucher et émincer les oignons. Faire chauffer 20 g de margarine dans une poêle. Faire revenir les oignons pendant 3 minutes, puis verser l'eau. Laisser mijoter pendant 2 minutes en couvrant. Pendant ce temps, couper les poivrons en deux, nettoyer, laver et faire égoutter les morceaux. Dans un récipient, recouvrir d'eau bouillante; attendre 5 minutes avant de verser l'eau et d'égoutter les poivrons. Mélanger les oignons revenus à la poêle avec la sauce Mornay. Verser 6 cuillerées à soupe de sauce dans un plat à four. Disposer les demi-poivrons, puis napper avec le reste de sauce. Parsemer de parmesan râpé. Ajouter quelque petits morceaux de margarine, avant d'introduire au milieu du four préalablement chauffé.

Temps de cuisson : 25 minutes. Four électrique: 225°C. Four à gaz : thermostat 4. Retirer le plat du four. Servir immédiatement dans le plat à four.
Préparation : 10 minutes.
Réalisation : 55 minutes.
Environ 365 calories/1527 joules.
Servir avec des côtelettes, des escalopes ou de la viande grillée.

PERSIL FRIT

4 bouquets de persil,
½ l d'huile pour la friture, sel

Laver le persil, enlever les tiges les plus épaisses. Bien sécher à l'aide de papier absorbant. Dans une friteuse, faire chauffer l'huile à 180°C. Jeter le persil dans l'huile. Il se met à grésiller et devient croustillant au bout d'une minute. Retirer immédiatement de la friture avec une écumoire. Saler légèrement, présenter dans des coquillages.

Préparation : 5 minutes.
Réalisation : 5 minutes.
Environ 95 calories/397 joules.
Servir en hors-d'oeuvre ou comme accompagnement avec un steak, une escalope de veau, un rosbif, du blanc de volaille ou des filets de poisson frits.

RIZ AU PERSIL

160 g de riz long,
1 et ½ l d'eau, sel
50g de margarine
1 bouquet de persil

Verser le riz dans une passoire, le laver soigneusement avant de le déposer dans une casserole avec de l'eau salée. Mettre la casserole sur le feu sans la couvrir. Porter l'eau à ébullition, puis réduire la température au minimum. Laisser gonfler le riz pendant 20 minutes dans la casserole bien fermée. Verser ensuite le riz dans une passoire, passer rapidement sous l'eau froide avant de remettre dans la casserole. Faire évaporer l'eau en faisant à nouveau chauffer pendant 3 minutes. Ajouter un morceau de margarine. Laver, égoutter et hacher finement le persil. Verser le riz dans un plat préalablement chauffé. Ajouter le persil au dernier moment avant de servir.

Préparation : 5 minutes.
Réalisation : 25 minutes.
Environ 250 calories/1046 joules.
Le riz au persil est la garniture idéale pour les ragoûts de toutes sortes, les escalopes de veau ou de porc, les plats de poulet ou d'autres volailles, ainsi que pour le poisson frit ou les plats de légumes à base de poivrons.

OIGNONS A LA CREME

500g de petits oignons, 40g de margarine
¼ l de crème fraîche, 1 cuillerée à café de farine
1 pincée de sel, poivre blanc
thym et estragon en poudre

Eplucher les oignons. Faire fondre la margarine dans une casserole. Faire dorer les oignons pendant 10 minutes. Ajouter la moitié de la crème fraîche, avant de laisser mijoter pendant 10 minutes en couvrant bien.
Pendant ce temps, mélanger dans un récipient le reste de la crème fraîche avec de la farine. Verser sur les oignons sans cesser de remuer. Laisser cuire pendant 3 minutes. Bien relever avec du sel, du poivre blanc, du thym et de l'estragon. Présenter dans un plat chauffé à l'avance et servir immédiatement.

Préparation : 20 minutes.
Réalisation : 35 minutes.
Environ 315 calories/1318 joules.

Bien épicés, les oignons à la crème accompagnent agréablement le gigot d'agneau ou les côtelettes de porc.

HARICOTS VERTS A L'ALSACIENNE

750 g de haricots verts,
¼ l d'eau
sel, 1 cuillerée à café de jus de citron
noix de muscade râpée,
125 g de jambon maigre cuit
20 g de margarine

Laver les haricots verts, retirer les fils et couper en fins tronçons obliques. Faire chauffer l'eau et le sel dans une casserole. Faire cuire les haricots dans l'eau bouillante pendant 20 minutes. Laisser égoutter dans une passoire, avant de remettre les légumes dans leur casserole, en les assaisonnant avec de la noix de muscade et du jus de citron.
Couper le jambon en fines lamelles. Faire chauffer la margarine dans une poêle. Faire revenir le jambon pendant 5 minutes, avant de le mélanger aux haricots. Servir chaud.
Préparation : 25 minutes.
Réalisation : 25 minutes.
Environ 170 calories/711 joules.
Servir comme garniture avec un rôti. Les haricots verts à l'alsacienne s'harmonisent particulièrement bien avec le goût de gigot d'agneau.

Les haricots verts sont très bons nappés de sauce blanche.

HARICOTS PRINCESSE AU LARD ET AUX OIGNONS

50g de lard maigre
1 oignon (40g)
1 boîte de haricots «princesse» (480 g)
sel, poivre blanc

Couper le lard en petits dés. Eplucher et émincer l'oignon. Faire revenir les dés de lard pendant 5 minutes dans une casserole. Ajouter l'oignon émincé, continuer à faire revenir jusqu'a ce qu'il soit bien doré. Faire égoutter les haricots dans une passoire. Les ajouter dans la casserole et les faire réchauffer à feu doux. Au bout de 5 minutes, saler, poivrer. Servir immédiatement.
Préparation : 10 minutes.
Réalisation 15 minutes.
Environ 130 calories/544 joules.

Servir en garniture avec de la viande juste saisie ou rôtie.

RIZ AU SAFRAN

200 g de riz long
50 g de margarine,
½ cuillerée à café de poudre de safran
³/₄ l de bouillon de viande chaud, sel
60g de fins bâtonnets d'amandes

Faire chauffer la margarine dans une casserole avant d'y verser le riz. Laisser revenir pendant 3 minutes. Saupoudrer de safran. Arroser de bouillon de viande très chaud. Saler. Porter à ébullition en remuant. Puis laisser gonfler le riz pendant 20 minutes, en réduisant le feu au minimum. Décoller de temps en temps les grains avec une fourchette. Ajouter les petits bâtonnets d'amandes. Présenter dans un plat préalablement chauffé.

Préparation : 3 minutes.
Réalisation : 25 minutes.
Environ 400 calories/ 1674 joules.

Servir avec de la viande fricassée, des brochettes, de la volaille, des escalopes de veau ou des tournedos.

PUREE D'OIGNONS

500 g d'oignons, ³/₈ l d'eau
10 g de margarine, sel, poivre blanc
1 pincée de sucre
30g de margarine, 20g de farine
¹/₈ l de lait, 4 cuillerées à soupe de crème fraîche
1 pincée de noix de muscade râpée

Eplucher les oignons. Les faire chauffer dans une casserole d'eau accompagnés de la margarine, du sel, du poivre et du sucre. Emincer les oignons avant de les ajouter au reste dans la casserole. Laisser cuire pendant 15 minutes. Verser les oignons et leur jus de cuisson dans une passoire, recueillir la purée dans une casserole que l'on place au chaud en couvrant bien. Faire chauffer 20 g de margarine dans une autre casserole. Saupoudrer de farine. Faire cuire la farine en remuant continuellement. Ajouter le lait et la purée d'oignons sans cesser de remuer, faire cuire. Verser la crème fraîche, mélanger; assaisonner avec la noix de muscade. Compléter par le reste de margarine. Servir la purée d'oignons chaude.

Préparation : 20 minutes.
Réalisation : 35 minutes.
Environ 195 calories/816 joules.
Servir avec des côtelettes d'agneau, de l'oie ou du canard rôti, de la viande de boeuf bouillie, du rôti du porc ou du poisson cuit à l'étuvée.

PS : Si l'on veut se servir de la purée d'oignons en décoration, ajouter 30 g de riz aux oignons pendant tout la cuisson. La purée en sera plus consistante et plus facile à utiliser avec une poche à douilles.

OIGNONS FRITS

750 g de gros oignons, 30g de farine
1 l d'huile ou 750 g de graisse
de palme pour la friture
sel

Les oignons frits sont universellement connus. Dans la cuisine américaine, on les appelle «fried onions». Ils sont particulièrement savoureux avec un steak ou un rôti de boeuf saignants. On peut aussi les déguster seuls, comme des friandises. Eplucher les oignons avant de les couper en rondelles de 3 mm d'épaisseur. Séparer les anneaux les uns des autres. Saupoudrer de farine sur une grande planche.
Verser dans une passoire pour faire tomber la farine superflue. Faire chauffer l'huile ou la graisse de palme dans une casserole à 180° C. Faire dorer les anneaux d'oignons par petites quantités, pendant 4 minutes chaque fois. Les retirer de la graisse et les déposer sur un papier absorbant. Puis saler et servir immédiatement.

Préparation : 10 minutes.
Réalisation : 35 minutes.
Environ 170 calories/712 joules.

DESSERTS

YAOURT AU PAPRIKA

2 poivrons (200 g), 250 g de tomates
4 pots de yaourt (175 g chacun), sel,
2 cuillerées à café de paprika doux
1 cuillerée à café de sauce tabasco
Pour la décoration :
½ bouquet de persil
$\frac{1}{8}$ l de crème fraîche
paprika doux

Couper les poivrons en deux, avant de les nettoyer et de les laver. Ebouillanter les tomates afin de les peler, puis couper en quartiers et ôter la base de la tige. Réduire les poivrons et les tomates en purée, à l'aide du mixeur. Ajouter le yaourt et les épices, bien mélanger. Verser dans un récipient que l'on dépose pendant 30 minutes au refrigérateur. Epicer éventuellement une nouvelle fois par la suite.

Laver, égoutter et hacher finement le persil. Répartir le yaourt entre quatre coupelles en verre. Parsemer de persil haché. Déposer sur chaque coupelle une touche de crème Chantilly. Saupoudrer de paprika.

Préparation : 10 minutes.
Réalisation : 10 minutes sans le refroidissement.
Environ 230 calories/963 joules.
Servir en entrée ou en dessert, ou encore accompagné de pain bis, pour un repas du soir léger.

En l'absence de mixeur, déposer les poivrons bien nettoyés pendant 10 minutes dans le four chauffé à 200°C. Quand la peau commence à se rider, elle devient facile à enlever. Hacher finement la chair du légume, avant de la mélanger avec les tomates pelées et écrasées. Mélanger enfin le yaourt.

GELEE DE THE AVEC CREME A LA VANILLE

½ l d'eau, 2 bonnes cuillerées à café de thé noir
3 cuillerées à soupe de sucre (45 g)
2 cuillerées à soupe de jus de citron
2 cuillerées à soupe de rhum,
6 feuilles de gélatine blanche
Pour la crème à la vanille :
½ gousse de vanille, ¼ l de crème fraîche
1 cuillerée à soupe de sucre (15 g)

Porter l'eau à ébullition dans une casserole. Jeter les feuilles de thé dans une théière préalablement ébouillantée. Arroser d'eau bouillante. Laisser infuser pendant 3 minutes en couvrant bien puis verser dans une casserole en filtrant. Ajouter le sucre, le jus de citron et le rhum. Faire ramollir la gélatine pendant 5 minutes dans l'eau froide, avant de l'extraire et de la dissoudre dans le thé bouillant en remuant continuellement. Laisser refroidir. Peu avant que la gelée ne durcisse, verser le thé dans des coupes. Laisser durcir au réfrigérateur pendant 2 heures en couvrant bien. Pour la crème à la vanille, ouvrir la gousse dans le sens de la longueur, afin d'en extraire l'intérieur à l'aide d'un couteau. Dans un saladier, battre la crème fraîche sortant du réfrigérateur avec la vanille et le sucre, jusqu'à ce qu'elle devienne assez ferme. Verser dans une carafe en verre. Servir avec la gelée.

Préparation : 5 minutes.
Réalisation : 10 minutes.
Environ 250 calories/1046 joules.

POIRES AU GINGEMBRE

8 demi-poires en boîte (400 g)
5 cuillerées à soupe de sirop de gingembre (50 g)
jus d'orange, 1 pincée de cannelle moulue
2 cuillerées à soupe de pignons ou pistaches (20 g)
2 baies de gingembre en conserve (30 g)

Egoutter soigneusement les poires dans une passoire. Les répartir entre quatre verres à dessert. Dans un saladier, mélanger le sirop de gingembre avec le jus d'orange et la cannelle. Verser ce sirop sur les poires, avant de déposer le tout dans le réfrigérateur. Laisser refraîchir pendant 120 minutes. Disposer les pignons ou les pistaches sur la plaque du four sans matière grasse. Introduire au milieu du four préalablement chauffé. Laisser griller pendant 10 minutes. Four électrique : 225°C. Four à gaz : thermostat 4. Retirer la plaque et laisser refroidir. Tamponner les baies de gingembre avec du papier absorbant pour les sécher, avant de les couper en petits dés. Les répartir en même temps que les pignons sur le dessert. Servir glacé.

Préparation : 15 minutes.
Réalisation : 10 minutes sans le refroidissement.
Environ 155 calories/648 joules.
Accompagner de cigarettes russes ou de gaufrettes et, éventuellement, de crème Chantilly.

En Corée, on prépare de la même manière les pêches coupées en deux ou encore les grosses prunes cuites. C'est excellent !

CREME AU GINGEMBRE

4 feuilles de gélatine blanche, 3 jaunes d'oeufs
60 g de sucre, ¼ l de crème fraîche
2 cuillerées à soupe d'eau chaude
4 baies de gingembre au sirop (60 g),
4 cuillerées à soupe de jus d'orange
$\frac{1}{8}$ l de crème fraîche, 5 g de sucre

Faire ramollir la gélatine dans un bol d'eau. Dans une casserole, battre ensemble le jaune d'oeuf et le sucre, jusqu'à ce que le mélange devienne mousseux. Incorporer peu à peu la crème fraîche à ce mélange sans cesser de battre. Réchauffer (sans faire bouillir !) au bain-marie en remuant continuellement. Dissoudre la gélatine dans 2 cuillerées à soupe d'eau bouillante, avant de la verser dans la crème et de l'y incorporer doucement. Mettre au frais.

Quand la crème commence à durcir, ajouter les baies de gingembre séchées et coupées en petits morceaux. Compléter enfin par le jus d'orange. Répartir la crème dans quatre verres que l'on place au frais pendant 2 heures. Battre la crème fraîche très ferme en y ajoutant 5 g de sucre. L'introduire dans une poche à douilles. Servir la crème au gingembre décorée de chantilly.

Préparation : 15 minutes.
Réalisation : 15 minutes sans le refroidissement.
Environ 485 calories/2030 joules.

FLANS AUX AMANDES ET AU GINGEMBRE

Pour les flans :
50g d'amandes épluchées,
50g de gingembre au sirop
$\frac{1}{8}$ l de lait, 2 jaunes d'oeufs, 30g de fécule
30 g de sucre, 2 blancs d'oeufs, 1 pincée de sel
½ gousse de vanille
Pour la crème :
1 cuillerée à café de sirop de gingembre
jus d'½ citron, 8 cuillerées à soupe de grenadine
1 verre (2 cl) de rhum
Pour la décoration : 2 citrons

Hacher finement les amandes, mais sans les moudre. Répéter cette opération avec le gingembre après l'avoir bien égoutté. Mettre ces deux ingrédients de côté. Battre ensemble $^1/_8$ l de lait, le jaune d'oeuf, la fécule et le sucre. Saler les blancs d'oeufs avant de les battre en neige ferme dans un saladier. Faire chauffer le reste du lait avec la gousse de vanille et les amandes hachées. Porter à ébullition, puis retirer la gousse de vanille. Incorporer les blancs en neige à la crème chaude. Ajouter le gingembre haché. remplir 4 petits moules préalablement refroidis avec ce mélange; laisser rafraîchir pendant 60 minutes, avant de déposer au réfrigérateur, bien couverts pendant 30 minutes.

Pour la crème, mélanger le sirop de gingembre avec la grenadine et le rhum. Démouler les flans aux amandes sur un plat ou dans quatre assiettes individuelles, avant de les napper de crème à la grenadine. Décorer avec des quartiers de citron. Servir immédiatement.

Préparation : 15 minutes.
Réalisation : 15 minutes sans le refroidissement.
Environ 280 calories/ 1172 joules.

GATEAU DE RIZ AU SAFRAN

POUR 6 PERSONNES

200 g de riz long, $^3/_4$ l d'eau, sel, 40 g de margarine, 1 pincée de safran 1 cuillerée à soupe d'eau chaude, 150 g de sucre 80g d'amandes taillées en petits bâtonnets 60g de pistaches, 4 cuillerées à soupe d'eau de rose (40 g) ½ cuillerée à café de poudre de cannelle 12 amandes entières épluchées

Laver soigneusement le riz dans une passoire. Laisser égoutter. Porter l'eau à ébullition dans une casserole. Verser le riz en pluie fine tout en remuant. Ajouter une bonne pincée de sel. Laisser cuire pendant 15 minutes à feu très doux. Couper la margarine en morceaux. Réduire les filaments de safran en poudre en s'aidant du dos d'une cuillère. Arroser d'eau chaude. Mélanger le sucre avec le riz, avant de compléter par la margarine et le safran. Tourner jusqu'à ce que le riz prenne une teinte jaune éclatante, uniformément répartie. Ajouter alors les amandes et un quart des pistaches préalablement ébouillantées, épluchées et hachées. Faire cuire à nouveau pendant 10 minutes sans cesser de remuer. Retirer du feu. Compléter par l'eau de rose. Verser le riz chaud dans un plat à feu. Egaliser la surface du gâteau. Dessiner deux lignes droites se croisant au centre, avec de la poudre de cannelle. Décorer chacune des quatre parts ainsi délimitées avec les amandes entières et le reste des pistaches hachées. Placer le gâteau de riz déjà un peu refroidi au réfrigérateur. Laisser refroidir pendant deux bonnes heures avant de servir.

Préparation : 20 minutes.
Réalisation : 35 minutes sans le refroidissement.
Environ 450 calories/1883 joules.

SOUFFLE A LA VANILLE

½ l de lait, l gousse de vanille
l pincée de sel,
2 cuillerées à soupe de sucre (30 g)
40g de margarine, 50g de farine
8 cuillerées à soupe de lait, 3 jaunes d'oeufs
3 blancs d'oeufs, l sachet de sucre vanillé
margarine pour le moule

Verser le lait dans une casserole, fendre la gousse de vanille pour en extraire l'intérieur, que l'on ajoute au lait, en même temps• que l'écorce, le sel, le sucre et la margarine. Porter à ébullition. Retirer la gousse de vanille. Dans un petit récipient, mélanger le reste du lait avec la farine. Verser dans le lait bouillant, porter à ébullition et laisser cuire à feu doux pendant deux minutes. Retirer la casserole du feu, avant d'incorporer doucement les jaunes d'oeufs à la crème. Battre les blancs d'oeufs en neige très ferme. Parfumer avec le sucre vanillé. Incorporer les blancs en neige à la crème à la vanille. Enduire un moule à feu de matière grasse, avant d'y verser la préparation, égaliser le dessus. Introduire au milieu du four préalablement chauffé.
Temps de cuisson : 35 minutes. Four électrique : 200°C. Four à gaz : thermostat 3.
Préparation : 10 minutes.
Réalisation : 45 minutes.
Environ 295 calories/1235 joules.
Servir en dessert après un plat principal plutôt léger.

POMMES A LA CANNELLE

500g de pommes, 40g de margarine
3 cuillerées à soupe de vin blanc,
80 g de sucre
l cuillerée à café ½ de poudre de cannelle

Eplucher les pommes, couper en quartiers, ôter le coeur. Faire chauffer la margarine dans une casserole. Jeter les morceaux de pommes dans la margarine, verser le vin blanc goutte à goutte. Laisser cuire à l'étouffée, en couvrant bien, pendant une dizaine de minutes. Retourner délicatement les morceaux de pomme une fois au cours de la cuisson. Dans un saladier, mélanger le sucre et la cannelle; au bout de 8 minutes, saupoudrer les fruits avec ce mélange, avant de les laisser cuire encore deux minutes, en secouant la casserole. Déposer les morceaux de pommes sur un plat chaud. Arroser avec leur propre jus. Servir chaud.
Préparation : 10 minutes.
Réalisation : 15 minutes.
Environ 210 calories/879 joules.
Servir en dessert ou en garniture avec du riz au lait, des pâtes sucrées ou encore du gibier ou des volailles sauvages.

A la place de la poudre de cannelle, on peut utiliser des bâtons de cannelle pour parfumer les pommes cuites.

CREME A LA CANNELLE

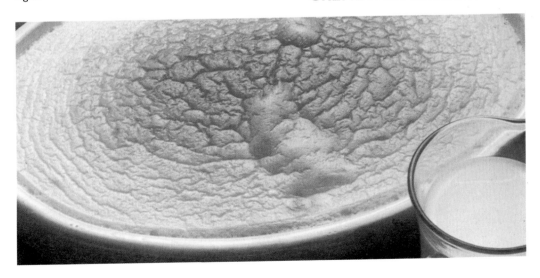

¼ l de lait, l bâton de cannelle
$^1/_8$ l de crème fraîche, 5 feuilles de gélatine blanche
3 jaunes d'oeufs, 75 g de sucre,
l cuillerée à café de poudre de cannelle
3 blancs d'oeufs
Pour la décoration : $^1/_8$ l de crème fraîche
l cuillerée à soupe de sucre en poudre

Dans une casserole, faire chauffer le lait et le bâton de cannelle. Laisser infuser pendant 10 minutes sur feu doux, puis refroidir pendant une durée égale. Retirer ensuite la bâton de cannelle. Ajouter et mélanger la crème fraîche. Ramollir la gélatine dans un bol rempli d'eau froide. Dans une casserole, battre ensemble le jaune d'oeuf, le sucre et la cannelle, jusqu'à ce que le mélange devienne mousseux. Ajouter la préparation à base de lait et de crème fraîche en remuant continuellement. Battre le tout sur feu doux, jusqu'à obtention d'une masse crémeuse. Retirer du feu. Extraire la gélatine avant de la dissoudre dans la crème, que l'on verse dans un saladier. Faire refroidir en plongeant le saladier dans un bain d'eau froide.
Dès que la crème commence à durcir, battre les blancs d'oeufs en neige très ferme, afin de les y incorporer. Présenter la crème terminée dans un saladier en verre ou dans des coupes individuelles. Laisser durcir au réfrigérateur pendant une soixantaine de minutes. Fouetter la crème fraîche jusqu'à ce qu'elle soit bien ferme. Incorporer peu à peu le sucre en poudre. Remplir une poche à douilles et décorer la crème à la cannelle par petites touches.

Préparation : 15 minutes.
Réalisation : 20 minutes sans le refroidissement. Environ 320 calories/ 1339 joules.

CREME A LA VANILLE
¼ l de lait, l gousse de vanille
l pincée de sel, 80g de sucre
l sachet de sucre vanillé, 3 jaunes d'oeufs
3 feuilles de gélatine blanche,
¼ l de crème fraîche
Pour la décoration :
$^1/_8$ l de crème fraîche
10 cerises à cocktail en conserves

Verser le lait dans une casserole. Ouvrir la gousse de vanille, afin d'en extraire l'intérieur. Ajouter au lait la gousse de vanille, ainsi que sa pulpe, le sel, le sucre et le sucre vanillé. Porter à ébullition en remuant continuellement. Laisser bouillir pendant 1 minute. Puis retirer la gousse de vanille. Dans un récipient, battre les jaunes d'oeufs avant de les mélanger peu à peu avec le lait chaud à la vanille. Faire chauffer au bain-marie pendant 20 minutes en tournant sans interruption avec un fouet, jusqu'à épaississement de la crème.
Après l'avoir fait ramollir dans l'eau froide, dissoudre la gélatine dans la crème. Puis laisser refroidir, en remuant de temps en temps, pour éviter la formation d'une peau à la surface de la crème. Pendant ce temps, battre la crème fraîche jusqu'à ce qu'elle devienne bien ferme. A l'aide d'un fouet à sauce, l'incorporer délicatement à la crème à la vanille refroidie. Verser la crème à la vanille dans un saladier en verre ou dans 4 coupes àdessert. Pour la décoration, fouetter le reste de la crème fraîche, avant de l'introduire dans une poche à douille en forme d'étoile. S'en servir pour décorer la crème à la vanille. Après les avoir égouttées, couper les cerises à cocktail en petits morceaux. Parsemer sur la crème. Servir très frais.

Préparation : 10 minutes.
Réalisation : 20 minutes sans le refroidissement. Environ 455 calories/1905 joules.

POMMES A LA VANILLE

4 pommes (600 g), ¼ l d'eau
2 cuillerées à soupe de jus de citron
2 cuillerées à soupe de sucre (30 g),
½ gousse de vanille
Pour la crème :
¼ l de lait, I sachet de crème à la vanille en
poudre 4 cuillerées à café
de gelée de groseille (40 g)
40g d'amandes émincées

Eplucher les pommes. Retirer les coeurs en creusant l'intérieur du fruit. Dans une casserole, faire chauffer l'eau avec le jus de citron, le sucre et la gousse à la vanille fendue dans le sens de la longueur. Ajouter les pommes et laisser cuire pendant 10 minutes, en changeant de temps en temps les fruits de face. Pendant ce temps, faire chauffer les $^2/_3$ du lait destiné à la crème dans une casserole. Dissoudre la poudre de crème à la vanille avec le reste du lait dans un bol, avant de le verser dans la casserole, en remuant continuellement. Sucrer. Porter la sauce à ébullition, puis retirer du feu. Dans une tasse, battre le jaune d'oeuf avec un peu de crème, avant de le verser à son tour dans la casserole. A l'aide d'une écumoire, retirer les pommes de leur récipient, faire égoutter. Présenter sur 4 assiettes à dessert. Remplir les pommes évidées avec de la gelée de groseille, parsemer d'amandes émincées. Napper de crème à la vanille.

Préparation : 10 minutes.
Réalisation : 15 minutes.
Environ 260 calories/1088 joules.
Servir en dessert.

POISSONS

ANGUILLE VERTE A LA FLAMANDE

1000g d'anguille, 80g de margarine
2 gros oignons, 2 échalotes, 250 g d'épinards frais
125 g d'oseille, 1 brin de persil,
autant d'estragon et de cerfeuil
sel, poivre, un peu de muscade
½ 1 de vin blanc sec, jus d'1 citron
2 jaunes d'oeufs

Nettoyer et vider l'anguille avant de la couper en morceaux de 5 cm de long. Faire fondre la margarine dans une casserole. Faire revenir les oignons épluchés et émincés, ainsi que les échalotes. Ajouter les morceaux d'anguille et laisser cuire pendant 10 minutes en couvrant bien. Trier et laver les épinards, l'oseille et les herbes. Hacher finement, avant de verser dans la casserole du poisson. Saler, poivrer. Ajouter la muscade et compléter par le vin blanc. Laisser cuire pendant 15 minutes en couvrant bien. Retirer du feu, ajouter le jus de citron. Lier la sauce avec le jaune d'oeuf. Laisser refroidir. Présenter agrémenté de quartiers de citron.

Préparation : 35 minutes.

Réalisation : 35 minutes.

Environ 812 calories/3399 joules.

Accompagnement : petits pains frais et croustillants.

Boisson : bière, eau-de-vie de genièvre.

POISSON A LA MAYONNAISE AU CURRY

1 cabillaud ou 1 aiglefin (1000g),
1 bon litre d'eau, zeste et jus d'1 citron, sel
1 feuille de laurier, 1 oignon, 1 clou de girofle,
3 grains de poivre
Pour la mayonnaise au curry :
200 g de mayonnaise, sucre,

2 cuillerées à café de curry
1 petite boîte d'ananas (320 g), 1 banane
½ bocal de mandarines (150g),
½ bocal de cerises à cocktail (110g)

Passer le cabillaud ou l'aiglefin sous l'eau froide, avant de le sécher avec du papier absorbant. Asperger de jus de citron.

Faire chauffer l'eau avec le zeste et le jus de citron dans une grande casserole. Porter à ébullition, ajouter le sel, la feuille de laurier, l'oignon épluché, lei clou de girofle et les grains de poivre. Laisser bouillir pendant 5 minutes, puis plonger le poisson dans l'eau. Réduire la température. Laisser cuire pendant 20 minutes. Pendant ce temps, battre la mayonnaise dans un récipient. Ajouter le sel, le poivre, le sucre et le curry. Faire égoutter l'ananas. Découper les tranches en dés grossiers (mettre quelques dés de côté pour la décoration, de même que quelques mandarines et quelques cerises), mélanger l'ananas avec la banane coupée en rondelles, les mandarines et les cerises soigneusement égouttées. Parfumer la mayonnaise avec un peu de jus d'ananas et de jus de mandarine. Ajouter les fruits, goûter. Disposer le poisson sur un plat après l'avoir fait égoutter. Déposer une bande de mayonnaise sur le dos, décorer avec les fruits mis de côté. Servir le reste de la mayonnaise à part.

Préparation : 20 minutes.

Réalisation : 25 minutes.

Environ 536 calories/2242 joules.

Accompagnement : pain blanc frais pour un repas du soir. Sinon, riz nature ou pommes de terre bouillies.

POISSON A LA SAUCE
AUX POMMES ET CURRY

800 g de perche, aiglefin ou cabillaud
(préparés par le poissonnier)
jus d'1 citron, 50g de margarine, 1 gros oignon
2 grosses pommes, sel, poivre blanc,
1 pincée de sucre
2 cuillerées à café de curry
1 cuillerée à café de farine
1 tasse de bon vin blanc, 1 pomme
20g de beurre, 1 verre (2 cl) de Cognac

Passer le poisson sous l'eau froide, avant de le sécher avec un torchon propre ou du papier de cuisine. Asperger de jus de citron, laisser macérer pendant 15 minutes. Faire chauffer la margarine dans une terrine à feu. Faire revenir les oignons épluchés et coupés en petits dés réguliers, ainsi que l'une des deux pommes, lavée, débarrassée du coeur, mais non de la peau, et coupée en tranches. Saler, poivrer, ajouter une pincée de sucre. Epicer généreusement avec du curry. Assaisonner légèrement le poisson, avant de le déposer dans la terrine. Saupoudrer de farine. Arroser avec le vin blanc. Introduire au milieu du four préalablement chauffé.

Temps de cuisson : 10 minutes. Four électrique: 225°C. Four à gaz : thermostat 4. Pendant ce temps, peler l'autre pomme; partager en quartiers, ôter le coeur, couper en fines rondelles que l'on fait revenir pendant 3 minutes dans la margarine, de sorte qu'elles restent fermes sous la dent. Mettre de côté.

Retirer le poisson du four. Mélanger le Cognac à la sauce. Présenter dans le plat à feu, en décorant le dessus avec les rondelles de pomme passées à la poêle.

Préparation : 40 minutes.

Réalisation : 10 minutes.

Environ 545 calories/2281 joules.

Accompagnement : riz nature ou pommes de terre persillées.

POISSON FROID AU CURRY

500 g de filet de cabillaud, ¼ l d'eau,
sel, 10 g de margarine
+ 30g de margarine, 30g de farine
$\frac{1}{8}$ l de bouillon de poisson chaud (en cube)
$\frac{3}{8}$ l d'eau, 2 cuillerées à café de poudre de curry
sel, poivre blanc, 1 pincée de sucre
jus d'½ citron,
3 cuillerées à soupe de raisins secs (30 g)
2 bananes (240 g), 2 oeufs durs
Pour la décoration :
½ bocal de poivron rouge (55 g)
1 brin de persil

Passer le filet de cabillaud sous l'eau froide, avant de le plonger dans une casserole d'eau salée bouillante. Réduire immédiatement

la température. Ajouter les 10 g margarine et laisser cuire pendant 10 minutes. Pour la sauce, faire chauffer les 30 g de margarine dans une casserole. Ajouter la farine en remuant continuellement. Puis verser le bouillon de poisson et compléter par l'eau. Assaisonner avec le curry, du sel, du poivre et du sucre. Porter à ébullition. Incorporer le jus de citron. Déposer les raisins secs dans une passoire avant de les passer sous l'eau chaude. Faire égoutter. Mélanger à la sauce. Eplucher les bananes, couper en petits dés que l'on jette à leur tour dans la sauce. Eplucher les oeufs, avant de les réduire en dés, également destinés à la sauce. Mettre la casserole de côté. Faire égoutter le poisson dans une passoire, avant de le partager en morceaux, que l'on mélange délicatement à la sauce. Laisser refroidir.

Présenter dans un saladier. Faire égoutter le poivron rouge, avant de le couper en fines lamelles, dont on décore le plat, ainsi que de petits bouquets de persil lavés et séchés.

Préparation : 15 minutes.

Réalisation : 20 minutes.

Environ 285 calories/1193 joules.

Servir comme hors-d'oeuvre appétissant ou comme plat principal accompagné de pommes de terre au beurre et de jus de tomate. Pour un plat principal, on utilisera cependant 800 g de poisson.

MAQUEREAU GRILLE AU BEURRE DE FINES HERBES

4 petits maquereaux de 200 g chacun
jus d'1 citron, sel, poivre blanc
4 cuillerées à soupe d'huile (40 g)
Pour le beurre de fines herbes :
50 g de beurre ou de margarine, sel, poivre blanc
½ brin de persil, 1 cuillerée à café de jus de citron
Pour la décoration : 2 tomates (100g)
½ brin de persil, 4 rondelles de citron

Vider les maquereaux avant de les passer, intérieurement et extérieurement, sous l'eau froide. Sécher avec du papier de cuisine. Retirer délicatement les nageoires du dos (ou deman-der à son poissonnier de le faire), ouvrir le

poisson en deux, avant de le déposer dans un récipient. Asperger l'intérieur et l'extérieur de jus de citron, poivrer. Arroser d'huile et laisser macérer au réfrigérateur pendant 35 minutes. Pour le beurre aux fines herbes, mélanger le beurre avec du sel, du poivre, du persil lavé, séché et haché, ainsi que du jus de citron. Déposer sur une feuille de papier sulfurisé humide, afin de donner la forme d'un rouleau, que l'on dépose au réfrigérateur pendant 30 minutes. Saler les maquereaux, avant de les disposer sur la grille du four, d'abord sur le côté de la peau, puis sur celui de la chair. Faire griller 5 minutes sur chaque face. Laver les tomates, couper en quartiers, ôter la base des tiges. Nettoyer et égoutter le persil, avant de le partager en petits bouquets. Déposer les maquereaux grillés sur un plat chaud ou sur quatre assiettes individuelles. Décorer chacun d'eux d'une rondelle de citron. Couper le beurre aux fines herbes en quatre tranches, une pour chaque poisson. Servir agrémenté de tomates et de persil.

Préparation : 30 minutes sans le refroidissement.

Réalisation : 15 minutes.

Environ 450 calories/1883 joules.

ROULES DE PERCHE FARCIS AUX FINES HERBES

4 filets de perche de 200 g chacun
2 cuillerées à soupe de vinaigre
½ bouquet de persil ou de cerfeuil
3 feuilles de mélisse citronnée, 2 brins de fenouil,
autant d'estragon, ½ cuillerée à café de basilic
autant de livèche, 1 petit oignon (30 g)
2 cuillerées à soupe de chapelure, 2 jaunes d'oeufs,
sel, margarine pour le plat, ¼ l de vin
20 g de margarine, 1 jaune d'oeuf
2 cuillerées à soupe de crème fraîche (30 g)

Passer les filets de perche sous l'eau froide, avant de les essuyer avec du papier absorbant et de les déposer sur un plat. Asperger de vinaigre. Mettre le four à chauffer, régler la température sur 200°C. Laver, égoutter et hacher finement les herbes, avant de les déposer dans un saladier. Ecraser le basilic et la livèche, afin de les mélanger au reste. Ajouter l'oignon épluché et coupé en petits dés, ainsi que la chapelure. Incorporer le jaune d'oeuf. Saler. Etendre cette préparation sur les filets, avant de les rouler. Utiliser des cure-dents pour les maintenir enroulés. Saupoudrer légèrement de sel. Déposer dans un plat à feu préalablement enduit de matière grasse. Ajouter le vin, parsemer de petits morceaux de margarine. Introduire au milieu du four chaud.

Préparation : 20 minutes.
Réalisation : 25 minutes.
Environ 354 calories/1481 joules.
Accompagnement : laitue, pommes de terre au fromage ou purée de pommes de terre. On peut également servir du riz à la tomate.

ANGUILLE DE MER GRILLEE AU RAIFORT

1000 g d'anguille de mer vidée et préparée
jus d'1 citron, sel, poivre blanc
100 g de raifort râpé en conserve
8 cuillerées à soupe d'huile (80 g)
2 cuillerées à soupe de farine (20 g)
½ bouquet de persil, 1 citron

Laver, puis essuyer l'anguille de mer, avant de la couper en morceaux de 5 cm de long. Sur un plat, asperger de jus de citron. Laisser macérer pendant 20 minutes en couvrant bien. Puis saler et poivrer. Dans une coupe, mélanger la farine, l'huile et le raifort. Déposer les morceaux de poisson sur la plaque du four qu'on aura eu soin de recouvrir d'une feuille de papier aluminium. Introduire en-dessous du grill déjà chaud et laisser cuire pendant 10 minutes. Retourner les morceaux une fois au cours de la cuisson. Présenter sur un plat préalablement chauffé. Décorer avec du persil lavé et égoutté et un citron coupé en huit.

Préparation : 20 minutes.
Réalisation : 15 minutes.
Environ 735 calories/3076 joules.
Accompagnement : salade mixte et pain blanc frais.

CURRY AU POISSON

800 g de filet de poisson, jus d'1 citron
sel, ¼ l d'eau, 40g de margarine,
2 cuillerées à soupe de curry, 40g de farine
¼ l de bouillon de viande chaud en cubes
5 tomates, 200 g de crevettes
4 cuillerées à soupe de crème fraîche
1 pincée de sucre, un peu de poivre blanc

Laver les filets de poisson à l'eau froide, avant de les essuyer avec du papier absorbant. Asperger de jus de citron, saler et recouvrir d'eau bouillante. Laisser cuire 7 à 10 minutes en couvrant bien. Vider la casserole en récupérant le jus de cuisson. Couper le poisson en morceaux que l'on garde au chaud. Faire chauffer la margarine dans une casserole. Ajouter la farine et le curry. Verser le bouillon de poisson précédemment mis de côté, très chaud. Compléter par les morceaux de poisson, les tomates pelées et réduites en petits dés et les crevettes. Faire réchauffer le tout, puis retirer du feu. Incorporer la crème fraîche. Assaisonner avec du sel, du poivre et du sucre. Servir.

Préparation : 20 minutes.
Réalisation : 30 minutes.
Environ 365 calories/1528 joules.
Accompagnement : riz nature.

SAUMON FUME A LA CREME AU RAIFORT

Pour les oeufs farcis :
100 g de crevettes congelées, 4 oeufs durs
40g de margarine,
½ cuillerée à café de moutarde
forte (15 g), sel
Pour la crème au raifort :
¹/₈ l de crème fraîche
3 cuillerées à soupe de raifort en conserve (60 g)
2 cuillerées à café de jus de citron
1 cuillerée à café de sucre
8 feuilles de salade,
8 tranches de saumon fumé (240 g)
2 cuillerées à café de caviar (20 g)
4 olives vertes farcies en conserve (20 g)

Pour les oeufs farcis, faire dégeler les crevettes selon les prescriptions. Eplucher les oeufs, avant de les partager en deux avec précaution. Retirer le jaune d'oeuf, que l'on dépose dans un récipient pour le mélanger avec la margarine et la moutarde. Battre jusqu'à obtention d'une masse lisse. Saler. Remplir une poche à douilles et déposer ce mélange dans les blancs d'oeufs évidés. Faire égoutter les crevettes dans une passoire. Garnir chaque moitié d'oeuf de 4 crevettes. Pour la crème au raifort, battre la crème fraîche dans un récipient jusqu'à ce qu'elle devienne très ferme. Incorporer peu à peu le raifort, le jus de citron et le sucre. Remplir une poche à douilles que l'on dépose momentanément au réfrigérateur. Laver soigneusement les feuilles de salade à l'eau froide, avant de les égoutter et de les sécher dans un torchon. Garnir le fond d'un plat en verre avec la salade. Rouler les tranches de saumon, avant de les déposer en étoile sur les feuilles de laitue. Remplir les rouleaux de saumon alternativement d'½ cuillerée à soupe de caviar et d'une olive. Placer entre chaque petit rouleau un demi-oeuf farci. Déposer la crème au raifort au centre du plat. Servir immédiatement.
Préparation : 5 minutes.
Réalisation : 20 minutes.
Environ 360 calories/1507 joules.

ANCHOIS AUX FINES HERBES

800 g d'anchois congelés, 1 bouquet de persil
4 brins ou 1 cuillerée à café de sauge
2 brins ou ½ cuillerée à café de basilic séché
autant de romarin,
2 cuillerées à soupe d'huile (20 g)
poivre noir, ¼ l de vin blanc
3 cuillerées à soupe de chapelure (30 g)

Faire dégeler les anchois. Leur couper ensuite la tête, la queue et les nageoires. Retirer les arêtes. Essuyer les filets avec du papier absorbant. Passer les herbes fraîches sous l'eau avant de les égoutter et de les hacher finement. Verser 1 cuillerée à soupe d'huile dans un plat à feu de forme ovale. Superposer dans le plat les anchois et les fines herbes; ajouter le poivre. Conserver 1 cuillerée à soupe d'herbes mélangées. Terminer par une couche d'anchois. Verser le vin blanc au bord du plat. Badigeonner les anchois avec le reste de l'huile. Parsemer de chapelure. Introduire au milieu du four préalablement chauffé.
Temps de cuisson : 25 minutes. Four électrique : 225°C. Four à gaz : thermostat 4. Retirer le plat du four. Parsemer avec le reste des fines herbes. Servir immédiatement.
Préparation : 35 minutes sans le temps de décongélation.
Réalisation : 30 minutes.
Environ 345 calories/ 1444 joules.
Servir le soir avec une laitue, des pommes de terre nouvelles et des toasts grillés.

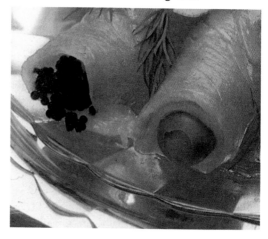

POISSON AUX FINES HERBES

4 filets de saumon (800 g), jus d'un citron
sel, 100g de lard maigre, 2 oignons (80 g)
500 g de tomates, 1 bouquet de ciboulette, autant
de fenouil et de persil
½ botte de cresson,
½ cuillerée à café de cerfeuil séché
autant d'estragon séché, ¼ l de crème fraîche
poivre blanc, 2 cuillerées de chapelure

Passer les filets de saumon sous l'eau froide, avant de les essuyer et de les déposer dans une assiette. Asperger de jus de citron. Saler et mettre de côté. Couper le lard en petits dés que l'on fait revenir dans une poêle. Eplucher et émincer les oignons, avant de les joindre au lard. Faire revenir pendant 5 minutes. Peler les tomates puis couper en rondelles. Laver et égoutter soigneusement la ciboulette, le fenouil et le persil. Couper le fenouil et la ciboulette très fin. Hacher le persil. Laver le cresson à grande eau, égoutter. Couper les feuilles avec des ciseaux de cuisine. Déposer les herbes dans un récipient afin de les mélanger avec la crème fraîche. Saler et poivrer.

Disposer la moitié du mélange de lard et d'oignons au fond d'un plat à feu. Recouvrir avec les rondelles de tomates, puis les filets de poisson. Arroser avec la crème aux fines herbes, répartir le reste de lard et d'oignons. Parsemer de chapelure. Introduire le plat dans le four préalablement chauffé, en couvrant bien.

Temps de cuisson : 15 minutes. Four électrique : 200° C. Four à gaz : thermostat 3.
Préparation : 20 minutes.
Réalisation : 25 minutes.
Environ 389 calories/1628 joules.
Accompagnement : salade verte, riz nature ou pommes de terre bouillies.

POISSON AU GINGEMBRE A LA MALAISIENNE

4 filets de cabillaud de 250 g chacun
jus d'1 citron, sel,
2 cuillerées à soupe de farine (20 g)
4 cuillerées à soupe d'huile (40 g) sel à l'ail,
1 gros morceau de gingembre confit (25 g)
¼ l de bouillon de viande chaud en cube
2 cuillerées à soupe de vinaigre de vin
1 pincée de poivre au girofle
2 cuillerées à café de fécule (10g)
2 cuillerées à soupe de sauce de soja
4 cuillerées à soupe de crème fraîche

Passer les filets de cabillaud sous l'eau froide avant de les essuyer. Asperger de jus de citron. Saler et rouler dans la farine. Faire chauffer l'huile dans une poêle. Faire cuire les filets de poisson pendant 6 minutes sur chaque face. Assaisonner avec du sel à l'ail.

Pendant ce temps, couper le gingembre en petits dés très fins. Retirer le poisson de la poêle, afin de le déposer dans un plat préalablement chauffé. Mettre au chaud. Jeter le gingembre dans la poêle. Ajouter le bouillon de viande chaud, ainsi que le vinaigre. Compléter par le poivre au girofle. Mélanger la fécule avec un peu d'eau froide, avant de s'en servir pour lier le fond de sauce. Porter à ébullition. Epicer avec de la sauce de soja. Retirer la poêle du feu. Arroser les filets de poisson avec une partie de la sauce. Servir le reste de la sauce à part.

Préparation : 10 minutes.
Réalisation : 20 minutes.
Environ 355 calories/1486 joules.
Accompagnement : riz au safran.

TANCHES A LA SAUCE AU FENOUIL

4 tanches de 300 g chacune, jus d'1 citron
sel, 1 cuillerée à soupe d'huile (10 g)
1 oignon (40 g), ¼ l de vin blanc
Pour la sauce : 1/8 l de crème fraîche
1 jaune d'oeuf, 20g de fécule, sel
poivre blanc, 1 pincée de sucre, 30 g de margarine
1 bouquet de fenouil

Ouvrir les tanches sur la face antérieure, afin de les vider. Ecailler la peau. Couper les nageoires. Passer sous l'eau froide avant d'essuyer et de déposer dans un plat. asperger l'intérieur et l'extérieur de jus de citron. Laisser macérer pendant 1S minutes. Saler ensuite l'intérieur. Enduire d'huile un plat à feu de forme rectangulaire. Eplucher les oignons avant de les couper en dés et de les déposer dans le plat. Arroser avec le vin blanc. Disposer les poissons dans le plat, que l'on introduit au milieu du four préalablement chauffé.

Temps de cuisson : 20 minutes. Four électrique: 200° C. Four à gaz : thermostat 3. Retirer délicatement les poissons du plat à feu pour les mettre au chaud dans un autre plat. Pour la sauce, filtrer le bouillon de cuisson des poissons, compléter par $^3/_8$ l d'eau. Verser le tout dans une casserole, porter à ébullition.

Dans une tasse, battre ensemble la crème fraîche, le jaune d'oeuf et la fécule, avant de les mélanger au bouillon. Porter la sauce à ébullition, puis retirer la casserole du feu. Assaisonner avec du sel, du poivre et du sucre. Ajouter un morceau de margarine. Finir par le fenouil lavé, égoutté et finement haché. Verser une partie de la sauce sur les tanches, servir le reste à part.

Préparation : 25 minutes sans le temps de faire mariner.

Réalisation : 30 minutes.

Environ 345 calories/1444 joules.

Accompagnement : pommes de terre persillées, épinards et vin blanc.

AIGLEFIN AUX FINES HERBES

4 filets d'aiglefin (800 g), jus d'1 citron
sel, 3 oignons (120g), 500 g de champignons frais
40 g de margarine, poivre blanc
½ bouquet de persil,
autant de fenouil et de ciboulette
margarine pour le plat
$^1/_8$ l de vin blanc,
2 cuillerées à soupe de chapelure (20 g)
40 g de margarine
Pour la décoration :
1 tomate (50 g), 2 brins de persil

Essuyer les filets d'aiglefin avec du papier absorbant avant de les déposer dans un plat. Asperger de jus de citron. Laisser macérer pendant 10 minutes en couvrant bien, puis saler légèrement sur chaque face. Pendant que le poisson marine, éplucher et épicer les oignons. Nettoyer, laver et égoutter les champignons avant de les couper en lamelles (laisser les petits champignons entiers). Faire chauffer la margarine dans une poêle. Faire revenir les oignons et les champignons pendant 5 minutes. Saler, poivrer et épicer. Passer le persil, le fenouil et la ciboulette sous l'eau froide avant de les égoutter soigneusement. Hacher le persil, couper le fenouil et la ciboulette très fin. Mélanger les herbes avec les oignons et les champignons. Enduire un plat à feu de margarine. Recouvrir le fond avec la moitié des oignons et des champignons. Déposer les filets de poisson sur cette première couche, puis le reste du mélange. Arroser avec le vin blanc. Parsemer de chapelure et de petits morceaux de margarine. Introduire le plat au milieu du four préalablement chauffé sans couvrir.

Temps de cuisson : 25 minutes. Four électrique: 225°C. Four à gaz : thermostat 4.

Agrémenter les filets de poisson de quartiers de tomate et de persil.

Préparation : 30 minutes sans le temps de faire mariner.

Réalisation : 30 minutes.

Environ 225 calories/941 joules.

Accompagnement : laitue et pommes de terre persillées.

VIANDES

STEAK TARTARE POUR I PERSONNE

150 g de beefsteack haché, sel, poivre noir
I peu de sauce Worcester, I peu de Cognac
I échalote, I jaune d'oeuf, paprika doux anchois
farcis aux câpres
olives, cornichons
petits oignons

Mélanger le beefsteack haché avec du sel, du poivre, de la sauce Worcester et du Cognac. Bien assaisonner. Reconstituer la forme d'un steak. Déposer sur une planche en bois. Pour l'accompagnement : une échalote coupée en petits dés, un jaune d'oeuf (dans sa coquille), du paprika, des anchois, des olives, des cornichons et des petits oignons. On peut, selon son goût, mélanger ces différents ingrédients à la viande.

Préparation : 15 minutes.
Réalisation : 10 minutes.
Environ 86 calories/360 joules.
Accompagnement : pain noir ou toast beurré.
Truc : On peut remplacer le jaune d'oeuf par une cuillerée à soupe d'huile.

CURRY INDIEN A LA MODE DE MADRAS
RECETTE BRITANNICO-INDIENNE RÉCENTE

750 g de viande de boeuf maigre, 4 petits oignons
2 gousses d'ail, sel,
I cuillerée à soupe de persil haché
¼ I d'huile végétale, ¼ bâton de cannelle
zeste râpé d'½ citron non traité, ¼ I d'eau
2 cuillerées à soupe de curry
I cuillerée à café de moutarde forte
3 cuillerées à soupe de noix de coco râpée
40 g de margarine

Laver et sécher la viande de boeuf avant de la couper en dés. Eplucher et émincer les oignons. Peler les gousses d'ail avant de les écraser avec du sel. Mélanger les oignons, l'ail et le persil avec l'huile pour obtenir une sauce dans laquelle on fait mariner la viande pendant 15 minutes, puis déposer la viande dans une casserole avec sa sauce, le bâton de cannelle et le zeste de citron. Faire saisir sur le feu avant d'ajouter l'eau. Laisser mijoter pendant 60-75 minutes. Retirer le bâton de cannelle. bien relever avec du curry, du sel et de la moutarde. Compléter par la noix de coco. Faire fondre un morceau de margarine dont on arrosera le plat juste avant de servir.

Préparation : 15 minutes.
Réalisation : 95 minutes.
Environ 605 calories/2530 joules.
Accompagnement : riz nature et «mango-chutney».
On peut également préparer ce plat de curry indien à base de viande d'agneau; c'est d'ailleurs ainsi que les Hindous le mangent. Il existe en outre d'autres variantes encore, avec de la viande de volaille ou du poisson par exemple.

RAGOUT D'AGNEAU AU CURRY ET AUX CHAMPIGNONS

750 g de gigot d'agneau, 40g de margarine ou
4 cuillerées à soupe d'huile
½ cuillerée à café de sauge, zeste râpé d'½ citron
I oignon, ½ I de bouillon de viande clair (en cube)
2 cuillerées à soupe de curry, sel, poivre
I petite boîte de champignons, 2 tomates, I poivron
vert I pomme aigre, I cuillerée à soupe de farine
3 cuillerées à soupe de crème fraîche
Laver et essuyer la viande d'agneau avant de la couper en dés grossiers. Faire chauffer la margarine (ou l'huile). Faire dorer la viande sur toutes ses faces avec la sauge et le zeste de citron.

Eplucher les oignons avant de les couper en dés grossiers. Faire rapidement revenir avec le reste. Arroser avec le bouillon de viande. Laisser cuire pendant 45 minutes. Assaisonner avec du sel, du poivre et du curry. Entre-temps, mettre les champignons à égoutter. Peler les tomates avant de les partager en quartiers. Laver et nettoyer le poivron vert avant de le couper en lamelles. Ajouter les champignons, les tomates et le poivron à la viande. Laver la pomme avant de lui ôter le coeur et de la mélanger au reste, coupée en dés grossiers, non pelée. Laisser mijoter le tout pendant 5 minutes. Diluer la farine à l'eau froide. S'en servir pour lier la sauce. Retirer du feu et incorporer la crème fraîche.

Préparation : 20 minutes.
Réalisation : 60 minutes.
Environ 415 calories/1735 joules.

COTELETTES D'AGNEAU
A LA PUREE D'OIGNONS

Pour la purée d'oignons :
3 oignons (150g), ¼ l d'eau, sel
2 cuillerées à soupe de margarine (20 g),
2 cuillerées à soupe de farine (20 g)
¼ l de lait
Pour les côtelettes :
4 belles côtelettes de 150g chacune,
sel, poivre, 2 cuillerées à soupe d'huile (20 g)
2 cuillerées à soupe de concentré de tomates (30 g)
6 cuillerées à soupe de crème fraîche (60 g)
1 bocal de pickles

Pour la purée d'oignons, éplucher les oignons avant de les hacher très finement. Porter l'eau salée à ébullition dans une petite casserole. Faire cuire les dés d'oignons pendant 10 minutes, avant de les réduire en purée à l'aide d'une passoire ou d'un mixeur. Réchauffer avec la margarine dans une autre casserole. Saupoudrer de farine. Ajouter le lait et porter à ébullition en remuant continuellement. Mettre au chaud.

Aplatir légèrement les côtelettes. Saler, poivrer. Faire chauffer l'huile dans une poêle, avant d'y déposer les côtelettes. Faire cuire 5 minutes sur chaque face. Retourner. Recouvrir le côté le plus croustillant de purée d'oignons. Placer un couvercle sur la poêle et laisser cuire 5 minutes de plus. Retirer du feu. Déposer les côtelettes sur un plat chaud, garder à la même température. Diluer le concentré de tomates et la crème fraîche dans le jus de cuisson de la viande. Assaisonner. Faire égoutter les pickles, avant de les disposer tout autour des côtelettes. Servir la sauce à part.

Préparation : 25 minutes.
Réalisation : 30 minutes.
Environ 630 calories/2637 joules.

PORC AU CURRY

600 g de viande de porc (collier, épaule)
2 cuillerées à soupe de margarine
1 bouquet de légumes pour la soupe, ½ l d'eau
1 cuillerée à soupe de margarine, 3 cuillerées à café de curry
½ cuillerée à soupe de farine
Pour la garniture :
8 brins de poireau, 1 l d'eau, sel
Pour le riz :
200 g de riz, 3/4 l d'eau

Laver et sécher la viande avant de la faire dorer sur toutes ses faces dans la margarine. Pendant ce temps, laver les légumes pour la soupe, couper en morceaux et faire revenir rapidement avec la viande. Ajouter l'eau. Laisser mijoter pendant 75 minutes en couvrant bien la casserole. Rajouter de l'eau si nécessaire. Retirer la viande du jus, garder au chaud. Passer le jus de cuisson. Faire fondre la margarine. Saupoudrer de curry et de farine. Faire cuire avant de verser le jus de cuisson. Laisser mijoter doucement pendant 3 minutes. Fendre les poireaux d'un côté dans le sens de la longueur. Laver soigneusement sous le robinet d'eau froide, avant de plonger dans l'eau salée bouillante. Faire cuire pendant 15 minutes. Pendant que la viande cuit, laver le riz, avant de le jeter dans l'eau salée bouillante. Faire cuire sur feu doux pendant 15 minutes. Assaisonner. Couper la viande en tranches. Présenter en même temps que le riz et les poireaux sur un plat. Napper la viande de sauce.
Préparation : 30 minutes.
Réalisation : 110 minutes.
Environ 960 calories/4020 joules.

FILET DE BOEUF A LA SAUCE AU POIVRE

Pour la sauce épicée :
50g de lard maigre, 3 cuillerées à soupe d'huile
1 cuillerée à café de moutarde forte
3 cuillerées à soupe de vinaigre de vin
1 pincée de tabasco,
1 cuillerée à café de poivre noir
sel, 2 oignons, 1 gros poivron vert

1000g de filet de boeuf
150g de concentré de tomate

Pour la sauce épicée, couper le lard en dés. Faire revenir dans une poêle avec l'huile. Ajouter la moutarde, le vinaigre de vin, le tabasco, le poivre noir, le sel, les oignons coupés en petits dés et le poivron nettoyé, lavé, épépiné et coupé en fines lamelles. Essuyer le morceau de filet avec du papier absorbant. Piquer la viande de part en part avec un couteau pointu. Arroser avec la préparation à base d'épices. Laisser mariner pendant trois heures, en retournant de temps en temps.

Retirer la viande de la sauce, à laquelle on ajoute le concentré de tomates. Déposer le filet dans un plat à feu, arroser avec la sauce et introduire dans le four préalablement chauffé.
Temps de cuisson : 45 minutes. Four électrique : 22 5°C. Four à gaz : thermostat 4. Retirer du four et servir dans le plat de cuisson.
Préparation : 20 minutes sans le temps de faire mariner.
Réalisation : 50 minutes.
Environ 325 calories/1360 joules.
Accompagnement : riz au paprika ou pommes de terre au beurre.

STEAK AU POIVRE FLAMBE

4 parts de filet de 180 g chacune,
3 cuillerées à soupe de poivre noir moulu
6 cuillerées à soupe d'huile, sel, 2 oignons
4 cuillerées à soupe de champignons de conserve
coupés en morceaux
4 cuillerées à soupe de Cognac
4 cuillerées à soupe de kirsch

Essuyer les morceaux de filet avec du papier absorbant. Frotter chaque face avec du poivre moulu. Faire chauffer l'huile dans la poêle jusqu'à ce qu'elle commence à fumer. Faire saisir les steaks une demi-minute sur chaque face, puis à nouveau 2 minutes par côté. Saler. Retirer de la poêle, garder au chaud. Pendant ce temps, éplucher et émincer les oignons. Faire dorer dans la poêle avec le jus de cuisson de la viande. Retirer de la poêle, conserver également au chaud. Réchauffer ensuite dans la poêle tour à tour 1 cuillerée à soupe de champignons ègouttés et 1 cuillerée à soupe de Cognac. Déposer les steaks sur le mélange. Les retourner; arroser avec la sauce. Réchauffer le kirsch, avant de le verser sur la viande et de l'enflammer. Servir immédiatement.
Préparation : 15 minutes.
Réalisation : 25 minutes. Si vous faites flamber les steaks un par un, le temps nécessaire s'élèvera à 40 minutes.
Environ 415 calories/1737 joules.
Accompagnement : salade composée, pommes frites ou baguette de pain frais.

VEAU AU CURRY

500 g de noix de veau, 30 g de margarine, sel
poivre blanc
Pour la sauce au curry :
1 oignon (40 g), 1 pomme (100 g) 1 tranche
d'ananas (50 g), 25 g de margarine
1 cuillerée à café de curry,
1 cuillerée à soupe de farine (20 g)
3/8 l de bouillon de viande en cube
2 bananes (200 g)
Pour la décoration :
2 cuillerées à soupe de noix de coco râpée
10 cerises en conserve (50 g)

Passer la viande de veau sous l'eau froide avant de l'essuyer avec du papier absorbant et de la couper en lamelles (d'1 cm de large sur 2 cm de long). Faire chauffer la margarine dans une casserole. Faire revenir la viande de veau pendant 10 minutes. Saler, poivrer. Mettre au chaud. Pour la sauce, éplucher les oignons avant de les partager en deux, puis de les couper en petits dés. Peler la pomme, partager en quartiers, ôter le coeur. Couper les morceaux en petits dés. Faire égoutter l'ananas dans une passoire, avant de le partager en petits morceaux.
Faire chauffer la margarine dans une casserole. Faire dorer l'oignon. Ajouter la pomme, faire revenir rapidement. Saupoudrer de farine et de curry. Arroser avec le bouillon de viande chaud. Remuer. Laisser mijoter pendant 10 minutes. Passer la sauce. Ajouter maintenant les morceaux d'ananas. Peler les bananes, avant de les couper en rondelles que l'on joint à la sauce. Compléter par les lamelles de viande de veau. Assaisonner. Réchauffer une dernière fois avant de présenter dans un plat préalablement chauffé. Parsemer de noix de coco râpée.
Préparation : 20 minutes.
Réalisation : 45 minutes.
Environ 305 calories/1276 joules.
Accompagnement : salade de laitue ou de chicorée avec des mandarines et du riz nature.

GOULASCH AU PAPRIKA

750 g de noix de veau, 40g de margarine,
250 g d'oignons
3 poivrons verts (300 g)
1 bocal de piments rouges (105 g)
sel, poivre noir
4 cuillerées à soupe de paprika doux
$^1/_8$ l de bouillon de viande en cubes
1 pot de yaourt (175 g)
1 pincée de sucre, ½ bouquet de persil

Passer la viande de veau sous l'eau froide, avant de l'essuyer avec du papier absorbant et de la couper en dés. Faire chauffer la margarine dans une casserole. Faire dorer les morceaux de viande sur toutes leurs faces pendant 15 minutes. Pendant ce temps, éplucher les oignons avant de les couper en anneaux. Partager, nettoyer et laver les poivrons, avant de les couper en lamelles. Faire égoutter les piments rouges dans une passoire. Verser ces ingrédients tous ensemble dans la casserole. Assaisonner avec du sel, du poivre et du paprika.

Arroser avec le bouillon de viande chaud. Laisser mijoter pendant 30 minutes en couvrant bien la casserole. Dans une tasse, mélanger le yaourt et le sucre, avant de les ajouter au goulasch. Assaisonner. Présenter dans un plat préalablement chauffé. Agrémenter de petits bouquets de persil lavé et bien égoutté.

Préparation : 25 minutes.

Réalisation : 50 minutes.

Environ 435 calories/1821 joules.

Accompagnement : baguette de pain blanc frais, riz au paprika ou pâtes.

STEAK AU CUMIN

4 steaks dans le filet de 150g chacun
3 cuillerées à soupe de cumin
½ cuillerée à café de margarine (5 g)
poivre noir, sauce Worcester, 2 oignons (80 g)
1 petite boîte de champignons (150g)
4 cuillerées à soupe d'huile (40 g)
sel, 2 verres (2 cl chacun) d'eau-de-vie de cumin
(Aquavit) 5 cuillerées à soupe de bouillon de viande
en cubes (50 g)
2 cuillerées à soupe de crème fraîche (40 g)
30g d'emmenthal râpé, 1 bouquet de persil

Essuyer les morceaux de filet avec du papier absorbant. Mélanger le cumin avec la margarine, avant de le déposer sur une planche en bois pour le hacher fin. (La margarine empêche les grains de cumin de se disperser.) Frotter les steaks avec le cumin, du poivre et de la sauce Worcester. Peler les oignons avant de les couper en anneaux. Faire égoutter les champignons. Verser l'huile dans une poêle pour la faire chauffer. Quand elle est très chaude, déposer les steaks. Faire cuire 3 minutes sur la première face et 2 minutes sur l'autre. Saler. Dès que l'on a retourné les morceaux de viande, ajouter les oignons et les champignons. Compléter par l'eau-de-vie de cumin au bout de 2 minutes. Faire flamber.

Retirer les steaks, que l'on dépose sur un plat préalablement chauffé. Laisser les oignons et les champignons dorer un peu plus longtemps avant de les disposer autour de la viande. Garder au chaud.

Verser le bouillon de viande dans le jus de cuisson. Faire chauffer. Incorporer la crème fraîche et le fromage râpé. Laisser mijoter doucement pendant 2 minutes, jusqu'à complète dissolution du fromage. Verser sur les steaks. Agrémenter de persil.

Préparation : 10 minutes.

Réalisation : 10 minutes.

Environ 375 calories/1570 joules.

Retirer la viande. La détacher des os et la couper en dés ou en lamelles. Passer le bouillon que l'on recueille dans une casserole. Ajouter les croûtons de pain, les câpres et le zeste de citron râpé. Porter à ébullition. Compléter par le jus de citron et le sucre. Relever éventuellement un peu plus avec du poivre. La sauce doit être bien épicée. Remettre la viande dans la casserole. Laisser mijoter pendant 5 minutes, puis verser le tout dans un plat à ragoût. Saupoudrer de poivre. Servir immédiatement avec un gros cornichon coupé en éventail.

Préparation : 20 minutes.

Réalisation : 100 minutes.

Environ 685 calories/2867 joules.

Accompagnement : salade de laitue, salade composée ou salade de betteraves rouges avec des pommes de terre bouillies.

POTEE AU POIVRE

1000g de viande de boeuf (plat-de-côte, macreuse)
3 cuillerées à soupe d'huile, 500 g d'oignons
1 assortiment de légumes pour la soupe
1 feuille de laurier
.3 clous de girofle, sel, poivre noir grossièrement moulu ½ l d'eau, 2 cuillerées à soupe de pain de seigle émietté
1 cuillerée à soupe de câpres (15 g)
zeste râpé d'½ citron
jus d'1 citron, sucre, 1 cornichon

Passer rapidement la viande sous l'eau avant de l'essuyer avec du papier absorbant. Faire chauffer l'huile dans une grande casserole. Faire saisir la viande sur toutes ses faces, avant de la retirer de la casserole. Eplucher et hacher finement les oignons, avant de les faire revenir à leur tour pendant 5 minutes. Nettoyer, laver et couper les légumes en morceaux, avant de les jeter dans la casserole, en même temps que la feuille de laurier et les clous de girofle. saler et poivrer généreusement. Arroser avec ½ l d'eau, porter à ébullition. Plonger la viande dans le bouillon. Laisser mijoter sur feu doux pendant 90 minutes en couvrant bien, avant de faire bouillir. Rajouter peu à peu le reste de l'eau au cours de la cuisson.

STEAKS A L'AIL

4 steaks dans le filet de 150 g chacun,
4 gousses d'ail
sel, 4 cuillerées à soupe d'huile (40 g),
1 pincée de romarin séché
poivre blanc, 1 cuillerée à soupe de jus de citron
1 cuillerée à soupe de yaourt (15 g)
1 bouquet de persil, 1 orange (110g)

Essuyer les tranches de filet avec du papier absorbant. Eplucher les gousses d'ail, avant de les écraser avec du sel. Déposer dans un récipient, mélanger avec l'huile, le romarin écrasé, le poivre et le jus de citron. Frotter les tranches de filet avec ce mélange, avant de les déposer dans un plat. Faire mariner pendant 3 heures au réfrigérateur, en couvrant bien. Au bout de ce temps, faire chauffer dans une poêle l'huile qui n'aura pas été absorbée par la viande. Faire cuire les steaks pendant 4 minutes sur chaque face. Retirer du feu et déposer dans un plat préalablement chauffé. Garder au chaud. Diluer le yaourt dans le jus de cuisson. Assaisonner. Laver et bien égoutter le persil, avant d'en hacher une moitié que l'on mélange à la sauce. Conserver au chaud. Peler soigneusement l'orange, avant de la couper en tranches fines. Oter les pépins.

Décorer les tranches de filet avec le reste du persil et les rondelles d'orange. Arroser avec la sauce. Servir immédiatement.

Préparation : 10 minutes sans le temps de mariner.
Réalisation : 15 minutes.
Environ 300 calories/1256 joules.

POTEE AU PAPRIKA

20g de margarine, 50g de lard
350g de viande de boeuf et de porc à bouillir
4 oignons (180g), 20g de farine
¼ l de bouillon de viande en cubes, sel
poivre noir, 1 piment (5 g)
4 poivrons verts (600 g), 1 poivron rouge (150g)
5 tomates (200 g), 1 boîte de girolles (200 g)

Faire chauffer la margarine dans un récipient en céramique à feu. Faire revenir le lard coupé en dés pendant 5 minutes. Ajouter la viande, faire saisir sur toutes ses faces pendant 5 minutes également. Compléter par les oignons épluchés et émincés. Faire revenir à nouveau 5 minutes. Saupoudrer de farine, que l'on fait roussir en remuant continuellement. Verser le bouillon de viande chaud. Saler, poivrer. Laver et épépiner le piment, avant de le hacher très fin et de le jeter dans la cocotte. Laisser mijoter le tout sur feu doux pendant 50 minutes en couvrant bien. Remuer de temps en temps au cours de la cuisson.

Partager, nettoyer, laver et égoutter les poivrons, avant de les couper en morceaux de taille régulière, que l'on ajoute au reste de la potée. Laisser mijoter 15 minutes de plus. Ebouillanter les tomates, avant de les peler. partager en quartiers, épépiner, ôter la base des tiges. Joindre les quartiers de tomates au reste, en même temps que les champignons que l'on aura pris soin d'égoutter. Laisser cuire tout doucement pendant encore 5 minutes. Servir dans le plat de cuisson.

Préparation : 20 minutes.
Réalisation : 80 minutes.
Environ 440 calories/1841 joules.
Accompagnement : salade d'endives, riz nature ou pâtes.

PORC AU POIVRE

750 g de viande de porc (jambon)
50g de lard maigre, 1 oignon (40 g)
poivre noir fraîchement moulu, sel
1 cuillerée à café de paprika doux
³/₈ l de bouillon de viande en cubes, 20g de farine

Passer la viande sous l'eau froide, avant de l'essuyer avec du papier absorbant et de la couper en morceaux de 2 à 3 cm de grosseur. Réduire le lard et l'oignon en petits dés. Faire revenir le lard dans une casserole. Faire saisir la viande sur toutes ses faces pendant 10 minutes. Ajouter l'oignon et poursuivre la cuisson pendant 5 minutes. Assaisonner fortement avec du poivre et du paprika. Verser peu à peu le bouillon de viande chaud. Laisser mijoter pendant 60 minutes sur feu doux en couvrant bien. Dans un bol, diluer la farine avec un peu d'eau froide. Verser sur le porc au poivre, laisser cuire encore quelques instants. Saler, poivrer. Servir dans un plat préalablement chauffé.
Préparation : 15 minutes.
Réalisation : 80 minutes.
Environ 780 calories/3265 joules.
Accompagnement : cornichons, salade de betteraves rouges et de laitue, pommes de terre bouillies.

Le goût du porc au poivre sera encore plus relevé si l'on fait mariner la viande à l'avance. Pour la sauce, mélanger dans une cocotte en terre cuite, 1 carotte, 1 oignon, 1 brin de persil lavé et haché, 1 feuille de laurier et 5 grains de poivre avec les morceaux de viande. Arroser avec ¹/₈ l de vin blanc et autant de vinaigre de vin. Laisser macérer pendant 24 heures dans un endroit frais en couvrant bien. Pour réaliser le plat, suivre les indications de la recette ci-dessus. Si l'on ajoute 3 cuillerées àsoupe de sauce au jus de cuisson, on obtiendra un goût encore plus corsé.

ESCALOPES AU PAPRIKA

4 escalopes de veau de 150 g chacune
4 cuillerées à soupe d'huile, sel
½ cuillerée à café de paprika fort
Pour la sauce :
6 cuillerées à soupe d'eau, 1 petit oignon (30 g)
¹/₈ l de crème fraîche, jus d'1 citron
2 cuillerées à café de paprika doux
1 cuillerée à café de fécule, sel
1 citron, ½ bouquet de persil
1 cuillerée à café de paprika doux

Aplatir les escalopes avec le poing, avant de les essuyer avec du papier absorbant. Faire chauffer l'huile dans une grande poêle. Faire dorer les escalopes pendant 3-4 minutes sur chaque face. Saler sur chaque côté. Retirer de la poêle, saupoudrer avec un peu de paprika, avant de déposer dans un plat préalablement chauffé et de garder au chaud en couvrant bien.
Pour la sauce, diluer le jus de cuisson de la viande avec de l'eau, faire chauffer. Faire cuire l'oignon épluché et coupé en petits dés pendant 3 minutes dans ce liquide. Dans une tasse, battre ensemble la crème fraîche, le jus de citron, le paprika doux et la fécule, avant de les mélanger au jus de cuisson et de porter à ébullition. Saler. Laver le citron à l'eau chaude. Essuyer et découper en quatre grosses tranches. Passer le persil sous l'eau froide, avant de l'égoutter soigneusement et de le hacher finement. Saupoudrer les rondelles de citron par moitié de paprika et de persil haché. Déposer une de ces garnitures sur chacune des escalopes. Verser la sauce dans une saucière chaude et servir à part.
Préparation : 10 minutes.
Réalisation : 10 minutes.
Environ 325 calories/1360 joules.

LANGUE AUX AMANDES ET AU GINGEMBRE

4 tranches de langue de boeuf salé cuite
(100 g chacune)
2 cuillerées à soupe de jus de citron
30g de farine, 50g de margarine
1 sachet de jus de cuisson (tout prêt)
$^1/_8$ l d'eau chaude, 2 baies de gingembre en
conserve (60 g) ¼ l de crème fraîche
10 g de margarine
50g d'amandes émincées

Débarrasser la langue, si nécessaire, de la peau et du gras qui la recouvrent. Asperger les tranches de jus de citron sur les deux faces, avant de les passer dans la farine. Faire chauffer la margarine dans une poêle. Faire cuire les tranches de langue sur feu moyen pendant 4 minutes sur chaque face. Dissoudre le contenu du sachet de jus de cuisson dans l'eau chaude. Verser le liquide dans la poêle en remuant. Emincer les baies de gingembre soigneusement égouttées, avant de les ajouter dans la poêle. Incorporer la crème fraîche. Saler. Laisser mijoter pendant 5 minutes. Pendant ce temps, faire chauffer la margarine dans une autre poêle. Faire dorer les amandes émincées. Disposer les tranches de langue sur un plat chaud avec la sauce. Parsemer avec les amandes émincées. Servir immédiatement.

Préparation : 15 minutes.
Réalisation : 20 minutes.
Environ 520 calories/2176 joules.

JARRET DE PORC AUX OiGNONS A LA MODE DE SAXE

1 jarret de porc de 1500g
Pour le bouillon de cuisson :
2 l ½ d'eau, sel, 6 grains de poivre
2 clous de girofle, 1 feuille de laurier
1 carotte (60 g), 1 brin de persil
Pour la sauce :
250 g d'oignons, 6 cuillerées à soupe d'huile
¼ l de bouillon de cuisson (du jarret de porc)
1 cuillerée à café d'extrait de bouillon de viande
(tout prêt)
40 g de chapelure, sel, poivre noir
1 cuillerée à café de cumin
1 cuillerée à café de sucre

Passer le jarret de porc sous l'eau froide. Porter l'eau à ébullition dans un récipient, avant d'y plonger la viande. Ajouter le sel, le poivre, les clous de girofle et la feuille de laurier. Nettoyer et laver la carotte et le persil, avant de les joindre au bouillon. Laisser bouillir sur feu doux pendant 140 minutes. Retirer le jarret, que l'on garde au chaud en couvrant bien. Passer le bouillon de cuisson. Mettre ¼ l de côté au chaud. Pendant ce temps, éplucher et émincer les oignons pour la sauce. Faire chauffer l'huile dans une cocotte. Faire dorer les lamelles d'oignons. Verser le bouillon de cuisson filtré, ainsi que l'extrait de viande tout prêt. Laisser cuire les oignons doucement pendant 10 minutes. Ajouter la chapelure en remuant continuellement. Assaisonner avec du sel, du poivre, du cumin et du sucre. Enlever les os. Couper la viande en petits morceaux. Laisser macérer 10 minutes encore dans la sauce.

Préparation : 10 minutes.
Réalisation : 165 minutes.
Environ 720 calories/3013 joules.
Accompagnement : boulettes de pommes de terre.

FILET DE BOEUF AUX OIGNONS

500 g de filet de boeuf
5 cuillerées à soupe d'huile (50 g)
375 g d'oignons, I gousse d'ail, sel
poivre blanc, ½ cuillerée à café de cumin
I pincée de marjolaine séchée en poudre
I cuillerée à soupe de farine (15 g)
$^3/_8$ l de bouillon de viande en cubes
2 cuillerées à soupe de vinaigre de vin
éventuellement I pincée de sel

Passer le filet de boeuf rapidement sous l'eau froide avant de l'essuyer avec du papier absorbant. Couper la viande en lamelles d'½ cm de large et de 2 cm de long. Faire chauffer l'huile dans un grand récipient. Faire dorer la viande pendant 10 minutes en remuant continuellement les morceaux. Eplucher les oignons, avant de les couper en deux, puis en anneaux et de les joindre à la viande. Eplucher la gousse d'ail avant de l'écraser avec du sel. Ajouter dans la casserole, en même temps que le sel, le poivre, le cumin et la marjolaine. Saupoudrer de farine que l'on fait légèrement brunir pendant 3 minutes. Arroser de bouillon de viande chaud. Laisser mijoter pendant 12 minutes en couvrant bien. Assaisonner avec du vinaigre et éventuellement une pincée de sucre, avant de verser dans un plat creux préalablement chauffé. Servir immédiatement.

Préparation : 20 minutes.
Réalisation : 45 minutes.
Environ 396 calories/1657 joules.

Pour le boeuf aux oignons, les Viennois commencent par faire cuire la viande dans de l'eau bien épicée, avant de la découper, une fois égouttée, en lamelles d'½ cm d'épaisseur que l'on passe dans la farine. On fait ensuite griller les tranches de viande à la poêle dans la matière grasse, avant de les servir accompagnées d'oignons bien dorés.

VOLAILLES

POULET AU CURRY

1 poulet de 1200g, sel
2 cuillerées à soupe de curry
60g de margarine, 2 gros oignons (120g)
3 pommes, 1 cuillerée à soupe
de concentré de tomate
30g de farine, ½ l de bouillon de viande en cubes
1 cuillerée à café de jus de citron
1 pincée de sucre

Passer le poulet sous l'eau froide, avant de l'essuyer avec du papier absorbant. A l'aide d'un bon couteau, découper la volaille en 8 morceaux, que l'on frotte avec du sel et un peu de curry. Mettre le reste du curry de côté. Faire chauffer la margarine dans une grande friteuse. Faire dorer les morceaux de poulet sur toutes leurs faces pendant 10 minutes. Entre-temps, éplucher les oignons et les pommes, avant de les couper en dés. Retirer les morceaux de viande de la poêle. Garder au chaud. Jeter les oignons et les pommes dans la matière grasse du poulet. Faire revenir en remuant continuellement. Ajouter le concentré de tomate, mélanger. Saupoudrer avec le reste du curry et la farine. Laisser bien cuire avant de verser le bouillon de viande chaud et de finir par les morceaux de poulet. Faire mijoter sur feu doux pendant 30 à 35 minutes. Assaisonner avec du jus de citron et du sucre. Servir la viande avec la sauce.

Préparation : 10 minutes.
Réalisation : 45 minutes.
Environ 545 calories/2281 joules.
Accompagnement : riz nature et salade.

OIE A LA BERLINOISE AVEC SAUCE AUX FINES HERBES

Pour la viande d'oie :
1 cuisse d'oie, 1 aile d'oie, sel
150 g de légumes pour le bouillon (poireau, carottes, céleri, oignon)
1 feuille de laurier, 2 clous de girofle, 5 grains de poivre 2 cuillerées à soupe de vinaigre
1 pincée de sucre, poivre
8 feuilles de gélatine blanche, 1 cornichon
Pour la sauce aux fines herbes :
30g de margarine, 30g de farine
½ l de bouillon en cubes
1 cuillerée à soupe de mayonnaise
une bonne quantité de fenouil
d'estragon, de persil et de ciboulette
jus d'½ citron

Laver la viande d'oie, avant de la plonger dans un litre d'eau salée en ébullition. Faire cuire pendant 60 minutes. Laver les légumes avant de les couper en morceaux. Ajouter dans le récipient de cuisson au bout de 40 minutes, en même temps que la feuille de laurier, les clous de girofle et les grains de poivre. Retirer la viande du bouillon, avant de la découper en gros morceaux de taille régulière. Laisser refroidir. Passer et dégraisser le bouillon. Laisser également refroidir. Assaisonner avec du vinaigre, du sucre, du sel et du poivre. Faire ramollir la gélatine avant de la dissoudre dans le bouillon. Couper le cornichon en rondelles, que l'on joint à la viande de l'oie et aux légumes. Dès que le bouillon commence à durcir, verser une première couche au fond d'un plat rond creux. Recouvrir avec le mélange de morceaux d'oie et de légumes. Puis finir avec le reste de gelée. Mettre au frais pour faire durcir.
Pour la sauce aux fines herbes, faire chauffer la margarine dans une casserole. Mélanger la farine, ajouter le bouillon. Maintenir sur le feu pendant 5 minutes, jusqu'à ce que la farine soit cuite. Puis laisser refroidir, sans oublier de remuer de temps en temps pour éviter la formation d'une peau à la surface de la sauce. Incorporer la mayonnaise, ainsi que les fines herbes soigneusement lavées et hachées. Arroser de jus de citron. Rajouter éventuellement un peu de sel. Avant de servir, tremper rapidement le récipient contenant l'oie

et les légumes en gelée dans l'eau chaude, pour pouvoir le démouler sur un plat rond. On servira toujours la sauce aux fines herbes à part.
Préparation : 20 minutes.
Réalisation : 80 minutes.
Environ 486 calories/2034 joules.
Accompagnement : pommes de terre sautées.

QUENELLES DE VOLAILLE A LA SAUCE A L'ESTRAGON

1 poulet congelé de 700 g
1 l ½ d'eau, sel
50g de lard gras, 1 petit oignon (30 g)
50 g de chapelure, 2 oeufs, poivre
paprika doux, ½ cuillerée à café d'estragon séché en poudre
½ bouquet de persil, 1 l de bouillon de poule
Pour la sauce :
30g de margarine, 30g de farine, sel
épices, noix de muscade râpée
½ cuillerée à café d'estragon en poudre
jus d'½ citron, 1 jaune d'oeuf
⅛ l de crème fraîche
½ bouquet de persil

Faire dégeler le poulet selon les prescriptions, avant de le laver. Porter l'eau à ébullition dans une casserole. Saler, avant d'y plonger le poulet. Laisser cuire pendant 40-50 minutes, puis débarrasser la volaille de sa peau et détacher la chair des os. Passer la viande, le lard et l'oignon épluché au hachoir (trous fins). Ajouter la chapelure, les oeufs, le sel, le poivre et le paprika. Bien mélanger pour obtenir une pâte que l'on épice fortement. Incorporer l'estragon et le persil lavé et finement haché. Donner à la pâte la forme de boulettes de la taille d'une noix.
Dans la casserole, porter le bouillon de volaille à ébullition, avant d'y faire glisser les quenelles. Laisser cuire pendant 10 minutes sur feu très doux. Retirer les boulettes avec une écumoire. Mettre au chaud dans un plat creux. Pour la sauce, faire chauffer la margarine dans une casserole. Ajouter la farine. Faire brunir quelques instants en remuant continuellement. Verser 1 l

de bouillon de volaille, puis mélanger le sel, les épices, une pincée de muscade et l'estragon. Laisser cuire pendant 3 minutes, compléter par le jus de citron. Retirer du feu. Battre le jaune d'oeuf avec la crème fraîche. Incorporer à la sauce chaude, mais qui ne bout plus. Assaisonner. Napper les quenelles de sauce. Laver, égoutter et hacher le persil, dont on parsème le plat juste avant de servir.

Préparation : 30 minutes.
Réalisation : 20 minutes.
Environ 560 calories/2344 joules.
Accompagnement : riz nature et salade verte ou choucroûte et pommes de terre bouillies.

Les quenelles de volaille peuvent aussi être servies dans un consommé. On se contentera dans ce cas de moitié moins de viande. Sauce aux fines herbes ou sauce hollandaise s'harmonisent aussi très bien avec les quenelles. Présenter alors les boulettes dans une couronne de riz. Garnir abondamment le plat de petites têtes de chou-fleur bouilli.

POULET AU CURRY INDIEN

1 poulet prêt à cuisiner de 1200g, sel
40 g de margarine, 1 oignon
½ l de bouillon de viande en cubes
2 pommes, 3 cuillerées à café de curry
1 cuillerée à soupe de farine
4 cuillerées à soupe de lait condensé
sel, 1 cuillerée à café de miel
1 pincée de poivre blanc
4 cuillerées à soupe de crème fraîche
2 cuillerées à soupe de raisins secs
2 cuillerées à soupe d'amandes émincées grillées
1 banane

Laver et essuyer le poulet avant de le découper en quatre. Saler. Faire chauffer la margarine. Faire dorer les morceaux de poulet sur toutes leurs faces. Eplucher l'oignon avant de le couper en petits dés, que l'on joint à la viande pour les faire revenir. Verser le bouillon peu à peu, laisser le poulet mijoter pendant 30 minutes en couvrant bien. Eplucher les pommes, ôter les coeurs, puis réduire les fruits en petits morceaux que l'on jette à leur tour dans la casserole. Saupoudrer de curry. Laisser le tout mijoter pendant encore 10 minutes sur feu moyen.

Retirer les morceaux de poulet du bouillon. Détacher les os, mettre la viande au chaud. Mélanger la farine avec le lait condensé. S'en servir pour lier la sauce. Relever le goût avec du miel, du poivre et éventuellement du sel. Remettre la viande dans la sauce avant de faire réchauffer rapidement. Ajouter la crème fraîche, les raisins secs, puis les amandes émincées.

Eplucher la banane avant de la couper en rondelles. Ne joindre à la sauce qu'au dernier moment avant de servir.

Préparation : 15 minutes.
Réalisation : 15 minutes.
Environ 600 calories/2510 joules.

OIE AU GINGEMBRE
RECETTE
POUR 6 À 8 PERSONNES

1 oie grasse prête à cuisiner de 4000 à 5000 g
sel, poivre blanc,
½ bocal de baies de gingembre (120g)
3 gousses d'ail, ¼ l d'eau chaude
60 g de margarine
5 cuillerées à soupe d'huile (50g)
400 gde riz long
150 g de raisins secs
1 l de bouillon de viande en cubes
½ bouquet de persil

Passer l'oie sous l'eau froide, intérieur comme extérieur, avant de l'essuyer avec du papier absorbant. Frotter l'intérieur et l'extérieur avec du sel et du poivre. Faire égoutter les baies de gingembre dans une passoire. Récupérer le sirop. Hacher très finement l'une des baies. Eplucher les gousses d'ail. Ecraser également l'une d'elles. Mettre les autres de côté. Déposer la baie de gingembre et la gousse d'ail hachées à l'intérieur de l'oie, ainsi qu'une cuillerée à soupe de sirop de gingembre. Déposer l'oie dans une grande friteuse ou sur la plaque à frire du four. Arroser d'eau chaude avant d'introduire en bas du four préalablement chauffé et de porter à ébullition. Temps de cuisson : 15 minutes. Four électrique :200°C. Four à gaz : thermostat 3. Faire fondre la margarine dans une casserole.

Arroser l'oie avec ce liquide gras. Puis poursuivre la cuisson pendant trois heures. Four électrique : 200°C. Four à gaz : thermostat 3. Arroser de temps en temps la volaille soit avec le jus de cuisson, soit avec le reste de sirop de gingembre.

Au besoin, ajouter encore un peu d'eau. 30 minutes avant la fin de la cuisson, faire chauffer l'huile dans une grande casserole. Hacher finement les deux gousses d'ail restantes, avant de les jeter dans l'huile brûlante en même temps que le riz soigneusement lavé. Faire revenir le riz pendant 10 minutes en remuant continuellement jusqu'à ce qu'il devienne transparent. Hacher les baies de gingembre mises de côté. Ajouter au riz en même temps que les raisins secs

passés sous l'eau chaude, puis égouttés dans une passoire. Recouvrir de bouillon de viande chaud. Saler. Laisser gonfler pendant 20 minutes sur feu doux. Retirer du feu. Décoller le riz avec une fourchette afin qu'il reste bien sec. Etaler la moitié sur un plat préalablement chauffé. Disposer le reste dans un plat creux. Présenter l'oie découpée, mais reconstituée, sur le riz. Couper le reste des baies de gingembre en fines lamelles, dont on parsème l'oie. Laver, égoutter et partager le persil en petits bouquets, que l'on éparpille autour de l'oie. Servir le riz dans le plat creux à part.

Préparation : 20 minutes.
Réalisation : 3 heures ½.
Environ 1620-2 155 calories/6781-9020 joules.

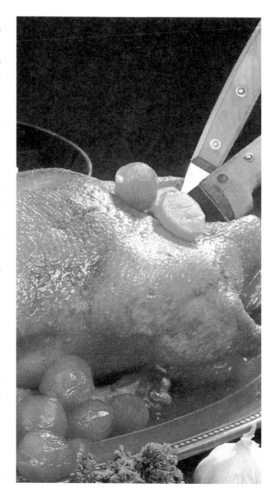

POULE À L'ESTRAGON

*1 poularde prête à cuisiner de 1800 g
sel, 1 bouquet d'estragon frais
1 brin de romarin
1 cuillerée à café de paprika doux
4 cuillerées à soupe de lait condensé (40 g)
1 cuillerée à soupe de farine (10g)
100 g de margarine, $^1/_8$ l de vin blanc
½ cuillerée à café de feuilles d'estragon séchées en
poudre*

Passer la volaille, intérieur comme extérieur, sous l'eau froide, avant de l'essuyer avec du papier absorbant. Saler l'intérieur et l'extérieur. Laver, sécher et attacher ensemble l'estragon et le romarin, que l'on glisse dans le ventre de la poule.

Refermer les ouvertures à l'aide de cure-dents. Confectionner une pâte épaisse avec le paprika, le lait condensé et la farine. Enduire la volaille avec cette préparation. Faire chauffer 60 g de margarine dans une friteuse. Faire dorer la poule pendant 50 minutes sur toutes ses faces jusqu'à ce qu'elle soit croustillante. Retourner de temps en temps. Retirer de la friteuse en fin de cuisson, enlever les cure-dents. Partager la poule en deux à l'aide d'un sécateur à volaille. Oter le bouquet d'herbes. Déposer la volaille sur un plat préalablement chauffé, conserver au chaud. Diluer les sucs de cuisson avec du vin blanc. Passer le jus ainsi obtenu et faire chauffer. Arrêter la cuisson juste avant le point d'ébullition. Incorporer le reste de la margarine coupée en petits morceaux à l'aide d'un fouet à sauce. Battre jusqu'à ce que la sauce devienne légèrement mousseuse. Assaisonner avec des feuilles d'estragon en poudre et du sel. Verser la sauce sur la poule. Servir immédiatement.

Préparation : 15 minutes.
Réalisation : 50 minutes.
Environ 740 calories/3097 joules.

Si l'on ne peut se munir d'estragon ou de romarin frais, introduire 2 cuillerées à café de feuilles d'estragon séchées et ½ cuillerée à café de romarin, séché également, dans un petit sachet de mousseline, que l'on glisse à l'intérieur de la poule.

POULET AU GINGEMBRE

I poulet congelé de 800 g
sel, poivre blanc,
I cuillerée à café de poudre de gingembre
I cuillerée à café de sucre
Pour la farce :
I petit pain, 1/8 I d'eau
I foie de poulet (30 g), I oeuf
I oignon (40 g), 2 bouquets de persil
50g d'amandes pilées
poivre blanc, un peu de poudre de gingembre
Pour la cuisson :
50g de margarine,
1/4 I de bouillon de viande en cubes
I cuillerée à soupe de fécule (20 g)
1/8 I de vin blanc, sel

Faire dégeler le poulet selon les prescriptions. Enlever les abats. Mettre le foie de côté pour la farce. Laver les autres abats, ainsi que le poulet, à l'intérieur comme à l'extérieur, avant de tout sécher avec du papier absorbant. Dans un bol, mélanger le sel et le poivre, frotter le poulet à l'intérieur comme à l'extérieur.
Faire ramollir le petit pain dans l'eau pendant 10 minutes. Presser, partager en petits morceaux, avant de déposer dans un saladier. Ajouter les épices, le foie du poulet coupé en dés, ainsi que l'oeuf. Eplucher et émincer le persil. Garder quelques brins de côté pour la décoration. Hacher les autres. Les ajouter à la farce en même temps que les amandes pilées. Assaisonner avec du sel, du poivre et de la poudre de gingembre. Remplir l'intérieur du poulet avec cette préparation. Refermer les ouvertures avec des cure-dents. Faire chauffer la margarine dans une grande casserole. Faire dorer le poulet et les abats sur toutes leurs faces. Arroser avec le bouillon de viande chaud, laisser mijoter pendant 45 minutes en couvrant bien. Retirer le poulet du récipient. Partager en quatre à l'aide d'un sécateur à volaille. Déposer les morceaux sur un plat chauffé à l'avance que l'on place au chaud. Passer le jus de cuisson. Mélanger la fécule et le vin blanc avant de s'en servir pour lier la sauce. Laisser mijoter pendant 3 minutes, en remuant de temps en temps. Saler. Parsemer les morceaux de poulet avec le reste du persil. Servir la sauce à part.

Préparation : 30 minutes sans le temps de décongélation du poulet et de ramollissement du pain.
Réalisation : 40 minutes.
Environ 540 calories/2260 joules.
Accompagnement : riz nature.

LEGUMES

POIVRONS A LA MODE DU BANAT

500 g de viande de porc, 2 oignons
40g de margarine, 150g de champignons
250 g de tomates, ½ l d'eau
sel, poivre, paprika doux
8 poivrons, 1 cuillerée à café de fécule
2 cuillerées à soupe de lait condensé
3 gouttes de tabasco

Couper la viande en morceaux. Eplucher et émincer les oignons. Faire revenir la viande et les oignons dans la margarine chaude. Couper les champignons très fins, peler les tomates. Réduire la moitié des tomates en tranches que l'on joint à la viande en même temps que les champignons. Ajouter l'eau. Laisser cuire sur feu doux pendant 40 minutes. Retirer la viande, Assaisonner avec du sel, du poivre et du paprika. Couper le reste des tomates en morceaux que l'on mélange avec la viande. Entre-temps, séparer la partie supérieure des poivrons, que l'on évide et que l'on lave. Remplir les poivrons avec le mélange de viande et de tomates. Reposer les chapeaux par-dessus. Laisser cuire pendant 30 minutes dans la sauce, sur feu très doux. Retirer les poivrons. Garder au chaud. Mélanger la fécule avec le lait condensé. S'en servir pour lier la sauce. Enfin, passer la sauce, avant de la relever avec quelques gouttes de tabasco.

Préparation : 25 minutes.
Réalisation : 70 minutes.
Environ 663 calories/2775 joules.
Accompagnement : riz nature.

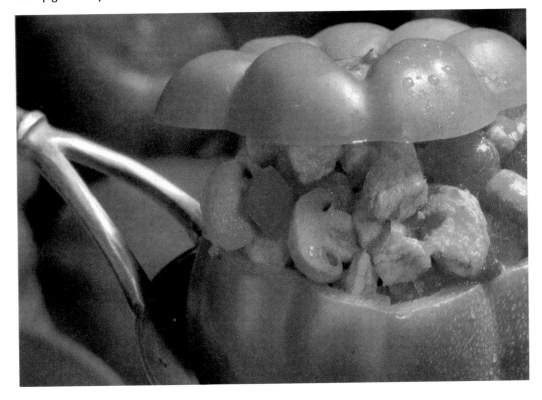

CHOU AU CUMIN

1 chou blanc de 1000g
60g de lard maigre
4 cuillerées à soupe d'huile
1 oignon (40 g), sel, poivre blanc
2 cuillerées à soupe de cumin
½ l de bouillon de viande en cubes
2 cuillerées à soupe de farine (30 g)

Laver le chou blanc, avant de le couper en quatre afin d'éliminer le tronc. Passer le chou sous l'eau froide, égoutter et couper en fines lamelles. Réduire le lard en dés. Faire chauffer l'huile dans un grand récipient. Faire revenir le lard pendant 5 minutes. Puis ajouter l'oignon, après l'avoir pelé. Compléter enfin par le chou. Faire revenir également pendant 10 minutes. Assaisonner avec du sel, du poivre et du cumin. Arroser avec le bouillon de viande chaud. Laisser cuire pendant 45 minutes en couvrant bien. Saupoudrer de farine, laisser mijoter 5 minutes. Servir le chou dans un plat creux préalablement chauffé.

Préparation : 20 minutes.
Réalisation : 60 minutes. Environ 285 calories/1193 joules.
Accompagnement : pommes de terre bouillies, saucisses grillées ou croquettes de viande frites.

POIVRONS A L'ESPAGNOLE

8 petits poivrons (640 g)
Pour la pâte :
200 g de farine, ¼ lde lait (à peine)
2 oeufs, sel, poivre blanc
1 ld'huile pour la friture
1 bouquet de persil, 1 citron

Couper les poivrons en quatre, avant de les nettoyer et de les laver. Sécher l'intérieur et l'extérieur avec du papier absorbant. Pour la pâte, verser la farine dans une terrine. Ajouter peu à peu le lait et les oeufs. Mélanger. Saler et poivrer généreusement. Faire chauffer l'huile à 180°C dans une grande friteuse. Envelopper de pâte les morceaux de poivron. Plonger toujours 5 morceaux à la fois dans l'huile bouillante. Faire dorer pendant 4 minutes. Retirer avec une écumoire. Faire égoutter. Déposer sur un plat préalablement chauffé que l'on place au chaud, jusqu'à ce que tous les beignets de poivron aient fini de frire. Entre-temps, laver, bien égoutter et partager le persil en petits bouquets. Passer le citron sous l'eau chaude, avant de l'essuyer et de le couper en huit. Plonger les petits bouquets de persil dans l'huile bouillante pendant 2 secondes. Faire égoutter. Garnir les poivrons de persil frit et de quartiers de citron. Servir immédiatement.

Préparation : 15 minutes.
Réalisation : 5 minutes.
Environ 420 calories/1758 joules.
Servir le soir accompagné de sauce tomate et d'une salade composée ou en hors-d'oeuvre, seul. Réduire alors toutes les proportions de moitié.

CHOU-FLEUR AU CURRY
RECETTE POUR 4 PERSONNES

1/8 l d'huile végétale
½ cuillerée à café de graines de moutarde
¼ cuillerée à café de cumin
½ cuillerée à café de poudre de gingembre
2 oignons hachés
1 cuillerée à café de sel
½ cuillerée à café de safran des Indes (curcuma)
1 kg de chou-fleur
125 g de tomates, 1 piment frais ou en conserve
quelques gouttes de sauce Worcester
¼ cuillerée à café de cumin en poudre
¼ cuillerée à café de curry
½ cuillerée à café de sucre
2 cuillerées à soupe de persil haché
¼ l d'eau
1 cuillerée à soupe de margarine fondue

Faire chauffer l'huile dans un grand récipient jusqu'à ce qu'elle commence à fumer. Faire bien revenir les graines de moutarde, le cumin, la poudre de gingembre et les oignons. Puis ajouter le sel, le curcuma et les têtes de chou-fleur préalablement nettoyées. Peler les tomates, ôter la base des tiges, les pépins et couper en morceaux. Verser dans le récipient en même temps que le piment lavé, épépiné et finement haché, la sauce Worcester, le cumin, le curry, le sucre et la moitié du persil haché. Arroser d'eau peu à peu. Laisser mijoter pendant 30 minutes. Parsemer de persil et compléter par quelques gouttes de margarine fondue. Servir chaud.

Préparation : 15 minutes.

Réalisation : 35 minutes.

Environ 261 calories/1092 joules.

Accompagnement : côtelettes d'agneau et pain blanc frais.

OIGNONS A LA PORTUGAISE

4 gros oignons (1000 g)
1 l d'eau, sel
Pour la farce :
300 g de chair à saucisse, 1 oeuf
sel, poivre noir
¼ cuillerée à café de paprika fort
huile pour le plat, 4 tranches de lard maigre (50 g)
$^1/_8$ l de bouillon de viande en cubes
1 sachet de sauce rouille (toute prête)
¼ l d'eau

Eplucher les oignons. Porter l'eau salée à ébullition dans une casserole. Plonger les oignons dans l'eau bouillante. Laisser cuire pendant 15 minutes. Retirer à l'aide d'une écumoire. Faire égoutter et laisser un peu refroidir. Séparer la partie supérieure de chaque oignon, puis évider l'intérieur. Couper la chair de l'intérieur en très petits dés, que l'on dépose dans un saladier. Ajouter la chair à saucisse et l'oeuf, bien relever le tout avec du sel, du poivre et du paprika. Remplir les oignons avec cette farce. Enduire d'huile le fond et les côtés d'un plat à feu. Déposer les oignons dans ce récipient, avant de les recouvrir chacun de leur chapeau, lui-même coiffé d'une tranche de lard. Introduire au milieu du four préalablement chauffé.

Temps de cuisson : 10 minutes, Four électrique : 225°C. Four à gaz : thermostat 4. Arroser de bouillon de viande chaud, puis remettre à cuire pendant 20 minutes, à la même température. 10 minutes avant la fin de la cuisson, préparer la sauce rouille selon les indications figurant sur le sachet. Arroser les oignons avec la sauce. Faire réchauffer le tout un dernière fois au four, puis retirer le plat et servir.

Préparation : 20 minutes.

Réalisation : 20 minutes.

Environ 335 calories/1502 joules.

Accompagnement : salade de tomates et pommes de terre bouillies.

LEGUMES A LA MOUTARDE

1 chou-fleur (500 g), 1 concombre (500 g)
500 g de tomates vertes
500 g de petits cornichons nouveaux
500 g d'oignons de taille moyenne
2 poivrons verts (300 g)
2 l d'eau, 50 g de sel
3 cuillerées à soupe de poudre de moutarde (30 g)
½ cuillerée à café de curcuma
100 g de farine, 250 g de sucre
$^3/_4$ l de vinaigre de vin

Laver et égoutter le chou-fleur, le concombre et les tomates. partager le chou-fleur en petits bouquets. Eplucher le concombre. Brosser les cornichons nouveaux sous l'eau froide, laisser

égoutter. Couper en quatre dans le sens de la longueur, ôter les pépins, partager en morceaux de 2 cm de grosseur. Couper les tomates en quartiers, enlever la base des tiges. Eplucher les oignons, avant de les partager en quatre. Séparer les poivrons en deux pour pouvoir les nettoyer et les laver; faire égoutter. Verser l'eau et le sel ensemble dans une casserole. Ajouter les légumes. Laisser reposer pendant 24 heures en couvrant bien. Le lendemain, porter à ébullition et laisser mijoter pendant 15 minutes. Enlever l'eau. Dans un récipient, mélanger ensemble la poudre de moutarde, le curcuma, la farine, le sucre et ¼ l de vinaigre de vin. Battre jusqu'à obtention d'une masse lisse. Faire chauffer le reste du vinaigre dans une grande casserole. Ajouter le mélange d'épices, laisser mijoter pendant 15 minutes sur feu doux, en remuant de temps en temps. Verser les légumes dans la sauce, mélanger. Remplir des verres passés sous l'eau chaude. Fermer avec du papier cellophane. Laisser refroidir. Conserver au réfrigérateur ou dans un endroit frais (temps de conservation : environ trois mois). Quantité : 5 verres d'½l.
Préparation : 25 minutes sans pause.
Réalisation : 40 minutes.
Environ 1890 calories/7911 joules.
Servir avec de la viande de boeuf bouilli, de la fondue bourguignonne ou du rôti froid.

OIGNONS A LA BULGARE
8 gros oignons (1000g)
1½ l d'eau, 200 g de gigot d'agneau
ou de viande d'agneau hachée
60g de riz long, 6 cuillerées à soupe d'huile (60 g)
2 gousses d'ail, sel, poivre blanc
1/8 l d'eau bouillante
¹/₈ l de bouillon de viande en cubes

Eplucher les oignons. Porter à ébullition dans une casserole avant d'y plonger les oignons. Laisser cuire pendant 10 minutes. Puis faire égoutter dans une passoire. Séparer la partie supérieurs des oignons. Evider délicatement l'intérieur à l'aide d'un couteau pointu ou d'une petite cuillère. Réduire en petits morceaux la moitié de la chair d'oignon ainsi obtenue. Mélan-

ger avec la viande hachée (passer préalablement le gigot d'agneau au hachoir, en utilisant la râpe la plus fine). Laver soigneusement le riz contenu dans une passoire en le passant sous l'eau froide, avant de l'essuyer dans un torchon, Faire chauffer l'huile dans une casserole. Faire revenir le mélange de viande hachée et d'oignons, ainsi que le riz, pendant 5 minutes, en remuant de temps en temps. Eplucher les gousses d'ail, avant de les hacher finement ou de les écraser avec du sel. Joindre aux autres ingrédients dans la casserole. Saler et poivrer. Ajouter l'eau. Porter à ébullition en remuant régulièrement, puis laisser cuire presque à point sur feu très doux pendant 10 minutes. Retirer du feu. Remplir les oignons avec ce mélange, avant de les déposer dans un plat à feu.
S'il reste de la farce, on peut la répartir autour des oignons dans le plat. Arroser de bouillon de viande chaud. Introduire le plat au milieu du four préalablement chauffé. Temps de cuisson : 30 minutes. Four électrique : 200°C. Four à gaz : thermostat 3. Servir immédiatement dans le plat de cuisson.
Préparation : 25 minutes.
Réalisation : 55 minutes.
Environ 305 calories/1277 joules.
Servir avec une goulasch, une soupe de pommes de terre ou de légumes, comme repas léger à midi ou le soir. Accompagner de pain de campagne ou de riz nature.

OIGNONS AU VIN
750 g d'oignons, 40g de margarine
sel, poivre blanc, 1 bonne pincée de thym séché jus
d'½ citron, 1 pincée de sucre
1 bonne cuillerée à soupe de farine (20 g)
¼ l de vin blanc
½ bouquet de persil

Eplucher les oignons avant de les couper en anneaux de 3 mm d'épaisseur. Faire chauffer la margarine dans une casserole. Faire revenir les oignons pendant 10 minutes. Assaisonner avec du sel, du poivre, du thym en poudre, du jus de citron et du sucre. Laisser mijoter pendant 2 minutes en remuant avec précaution. Ajouter le vin blanc. Couvrir et laisser cuire pendant 25 minutes. Présenter les oignons au vin dans un plat creux préalablement chauffé. Parsemer de persil lavé, égoutté et haché. Servir immédiatement.

Préparation : 30 minutes.
Réalisation : 40 minutes.
Environ 210 calories/879 joules.
Servir avec des côtelettes, des boulettes de viande hachée, du rôti de porc.

Pour varier le goût des oignons, on peut faire revenir une gousse d'ail épluchée et hachée en même temps dans la poêle ou encore ajouter à la fin de la cuisson $^1/_8$ l de crème fraîche.

OIGNONS A LA MODE JUIVE

Pour la farce :
20g de graisse d'oie ou 2 cuillerées à soupe d'huile
1 paquet de chou vert congelé (400 g)
sel, poivre blanc, noix de muscade râpée
4 gros oignons (1000g), 1 l d'eau, sel
margarine pour le plat
20 g de chapelure pour saupoudrer
10 g de margarine

Faire chauffer la graisse d'oie ou l'huile dans une casserole. Déposer le chou légèrement dégelé dans la matière grasse. Faire cuire selon les indications sur feu moyen. Assaisonner avec du sel, du poivre et de la noix de muscade. Retirer la casserole du feu. Entre-temps éplucher les oignons. Faire chauffer de l'eau salée dans une casserole. Porter à ébullition. Faire cuire les oignons dans l'eau pendant 20 minutes. Retirer à l'aide d'une écumoire en fin de cuisson. Faire égoutter et laisser un peu refroidir.

Puis séparer la partie supérieure de chaque oignon et en évider l'intérieur. Ne laisser qu'une fine pellicule sur tout le tour. Hacher finement la chair des oignons, ainsi que les dessus. Mélanger avec le chou vert, Remplir les oignons avec cette farce. Enduire de matière grasse un plat à feu, dans lequel on dépose les oignons farcis. Parsemer de chapelure et de petits morceaux de margarine. Introduire en haut du four préalablement chauffé, **Temps de cuisson** : 15 minutes. Four électrique : 225°C. Four à gaz : thermostat 4. Retirer du four et servir dans le plat de cuisson sans attendre.

Préparation : 15 minutes.
Réalisation : 65 minutes.
Environ 240 calories/1004 joules.

Accompagnement : pommes de terre nouvelles sautées à la poêle.

SALADES

MACHE A L'HUILE ET AU VINAIGRE

400 g de mache
Pour la sauce :
1 oignon, 4 cuillerées à soupe de vinaigre de citron
½ cuillerée à café de sel
1 pincée de sucre, poivre blanc
3 cuillerées à soupe de lait concentré
4 cuillerées à soupe d'huile de salade

Choisir la mâche pourvue des plus grandes feuilles possibles. Enlever les feuilles brunes ou fanées. Couper les tiges qui rassemblent les petits bouquets, de manière à détacher les feuilles les unes des autres. Déposer ces petites feuilles dans une passoire avant de les passer sous l'eau froide. Laisser égoutter, puis envelopper dans un torchon propre, pour les sécher. Pour la sauce, éplucher les oignons avant de les couper en petits dés fins que l'on dépose dans un plat creux. Ajouter le vinaigre de citron, le sel, le sucre, le poivre et le lait concentré. Bien mélanger. Compléter par les feuilles de mâche. Brasser soigneusement, mais très délicatement (de préférence avec les mains juste lavées). Enfin, verser l'huile sur le dessus, avant de brasser une dernière fois avec le couvert à salade. Laisser macérer un peu, puis servir.
Préparation : 20 minutes.
Réalisation : 10 minutes.
Environ 135 calories/565 joules.

SALADE DE POIVRONS IMPERIALE

3 poivrons verts (360 g), 2 poivrons rouges (320 g)
1 oignon (40 g), 3 tomates (120 g)
150 g de jambon cuit, 4 oeufs durs
8 olives noires en conserve (30 g)
1 cuillerée à café de câpres
Pour la sauce : 1 cuillerée à café de moutarde forte
6 cuillerées à soupe d'huile (60 g)
4 cuillerées à soupe de vinaigre
1 pincée de sucre, sel,
poivre noir fraîchement moulu
un peu de tabasco
1 laitue (150g), 1 gousse d'ail

Partager les poivrons en quatre avant de les laver. Laisser égoutter et couper en lamelles de 5 cm de long et ½ cm de large. Eplucher les oignons avant de les couper en anneaux les plus fins possibles. Ebouillanter les tomates, puis les peler, les couper en quartiers et les épépiner. Oter la base des tiges. Couper le jambon en fines lamelles. Eplucher les oeufs, avant de les couper en rondelles régulières à l'aide d'un coupe-oeuf ou d'un couteau. Faire égoutter les olives, puis les couper en six dans le sens de la longueur. Hacher grossièrement les câpres après les avoir fait égoutter. Mélanger tous ces ingrédients avec délicatesse dans un saladier. Pour la sauce, mélanger la moutarde, l'huile et le vinaigre dans une petite coupelle. Assaisonner avec du sucre, du sel, une bonne quantité de poivre noir juste moulu et un peu de tabasco. Verser la sauce sur la salade. Brasser délicatement. Laisser macérer au réfrigérateur pendant 20 minutes en couvrant bien. Entre-temps laver la laitue soigneusement à l'eau froide, avant de l'essorer ou de la sécher dans un torchon. Partager les plus grandes feuilles. Eplucher et couper la gousse d'ail en deux, afin d'en frotter les bords d'un grand saladier. Recouvrir de feuilles de laitue. Retirer la salade du réfrigérateur. Assaisonner à nouveau, puis disposer dans le saladier et servir.
Préparation : 25 minutes.
Réalisation : 15 minutes sans le temps de faire macérer.
Environ 395 calories/1653 joules.
Servir le soir avec du pain complet ou des toasts grillés et du beurre.

SALADE D'OIGNONS SAINT GALLER

4 oignons (160 g), 200 g de cervelas
2 poivrons rouges (300 g)
Pour la sauce :
1 cuillerée à café de moutarde forte,
6 cuillerées à soupe d'huile (60 g)
3 cuillerées a soupe de vinaigre,
sel poivre blanc, sucre
Pour la décoration :
2 œufs durs

Eplucher et émincer les oignons, puis les déposer dans une casserole et les recouvrir d'eau bouillante. Laisser macérer pendant 30 secondes avant de faire égoutter dans une passoire. Oter la peau du cervelas, puis le couper en petits bâtonnets d'½ cm de large et de 3 cm de long. Nettoyer, laver les poivrons, avant de les couper en deux dans le sens de la largeur, puis en bâtonnets de 3 cm de long pour ½ cm de large.

Pour la sauce, mélanger la moutarde avec l'huile et le vinaigre au fond d'un saladier, Saler, poivrer, sucrer. Ajouter les différents ingrédients de la salade. Laisser reposer pendant 30 minutes au réfrigérateur en couvrant bien, puis retirer et verser dans un saladier en verre. Eplucher les oeufs avant de les couper en huit pour en garnir la salade.

Préparation : 20 minutes.
Réalisation : 10 minutes sans le temps de faire macérer.
Environ 320 calories/1340 joules.
Servir le soir avec du pain de campagne, du beurre et des œufs.

SALADE DE POIVRONS A L'INDIENNE

2 l d'eau, sel
200 g de riz long, 150g de petits oignons
2 poivrons verts, 2 poivrons rouges (440 g)
3 tomates (120g)
Pour la sauce :
100 g de mayonnaise 1 cuillerée à soupe de ketchup (20 g)
1 cuillerée à soupe de curry
2 cuillerées à café de Mango-Chutney (20 g)
2 cuillerées à café de sauce de soja et autant de sauce au piment
1 banane (150g)
2 cuillerées à soupe de jus de citron
curry pour saupoudrer
25 g de noix de cajou

Dans un grand récipient, porter l'eau à ébullition en salant largement. Verser le riz en pluie dans l'eau. Faire cuire sur feu doux pendant 15 minutes, puis jeter dans une passoire et passer sous l'eau froide. Faire bien égoutter. Entre-temps, éplucher et émincer les oignons. Nettoyer, laver et couper les poivrons en lamelles de 3 cm de long. Ebouillanter les tomates afin de pouvoir les peler. Couper en huit et ôter la base des tiges. Déposer le tout dans un saladier avec le riz, avant de mélanger délicatement.

Dans un autre récipient, battre ensemble la mayonnaise, la ketchup, le curry et le Mango-Chutney. Assaisonner avec de la sauce au soja et de la sauce au piment. Incorporer avec précautions à la salade. Eplucher la banane, avant de la couper en dix rondelles de taille régulière. Arroser de gouttes de citron et saupoudrer de curry. Déposer sur la salade. Parsemer de noix de cajou.

Préparation : 20 minutes.
Réalisation : 25 minutes sans le refroidissement.
Environ 475 calories/1988 joules.
Servir comme plat principal ou comme repas léger pour le soir.

SALADE DE LEGUMES AVEC SAUCE AU CURRY

1 petit chou-fleur (350 g)
½ tête de céleri (300 g)
1 l d'eau, sel
100g de petits pois congelés
100g de champignons en boîte
Pour la sauce :
4 cuillerées à soupe de mayonnaise (80 g)
4 cuillerées à soupe de crème fraîche (40 g)
1 cuillerée à soupe de jus de citron
1 cuillerée à soupe de Cognac
2 cuillerées à soupe de curry, sel
sucre, 1 bouquet de persil

Laver soigneusement le chou-fleur. Eplucher le céleri avant de le laver. Dans un grand récipient, porter l'eau salée à ébullition, puis faire cuire les légumes pendant 20 minutes. Laisser refroidir. Faire à nouveau chauffer l'eau et le sel dans la casserole, avant d'y plonger les petits pois et les carottes qui cuiront pendant 15 minutes. Verser tous les légumes dans une passoire pour les faire égoutter. Ajouter les haricots mange-tout et les champignons. Pour la sauce, mélanger la mayonnaise avec la crème fraîche, le jus de citron, le Cognac et le curry. Assaisonner avec du sel et du sucre. Séparer les petits bouquets du chou-fleur. Couper le céleri et les carottes en dés grossiers. Mélanger avec les autres légumes et la sauce. Placer au frais pendant 60 minutes. Laver, égoutter et hacher finement le persil, avant d'en parsemer la salade et de servir.
Préparation : 20 minutes.
Réalisation : 35 minutes sans le refroidissement.
Environ 220 calories/920 joules.
Servir le soir avec du pain grillé, du pain complet et du beurre ou de la margarine.

SALADE DE HOMARD A LA CREME DE FENOUIL

2 boîtes de homard décortiqué (340 g)
1 bouquet de fenouil, 1 laitue (200 g)
2 tranches d'ananas (100g)
100g de champignons en boîte
¼ l de crème fraîche
1 cuillerée à soupe de mayonnaise (20 g),
sel poivre blanc, 1 pincée de sucre

Faire égoutter la chair de homard. Enlever tous les morceaux de carcasse. Laver le fenouil, avant de le faire bien égoutter et d'en hacher les pointes (conserver 4 brins de fenouil de côté). Trier, laver et essorer la salade. Couper les tranches d'ananas en morceaux après les avoir bien laissé égoutter. Même opération avec les champignons. Mélanger l'ananas et les champignons avec le homard. Battre la mayonnaise pour qu'elle devienne très ferme, avant de l'incorporer à la salade. Saler, poivrer, sucrer. Ajouter le fenouil. Tapisser de feuilles de laitue le fond de quatre coupes à Champagne ou à cocktail, avant d'y déposer les différents ingrédients de la salade. Napper de crème de fenouil. Laisser reposer pendant 5 minutes, avant de servir décoré d'un petit brin de fenouil entier.
Préparation : 25 minutes.
Réalisation : 10 minutes sans le temps de faire macérer.
Environ 321 calories/1343 joules.
Servir lors d'un dîner fin pour quatre personnes, ou en entrée avec des toasts beurrés pour six personnes.

SALADE DE POIVRONS AUX CHAMPIGNONS

1 poivron vert, 1 poivron rouge (300 g)
200 g de champignons frais.
Pour la sauce :
75 g de céleri
½ bouquet de ciboulette, ½ botte de cresson
2 cuillerées à café de moutarde forte
2 cuillerées à soupe d'huile (30 g)
2 cuillerées à soupe de jus de citron
sel, poivre blanc, poudre d'ail
sauce Worcester, 1 pincée de sucre

Nettoyer, laver, puis sécher les poivrons ainsi que les champignons couper les poivrons en fines lamelles, émincer les champignons. Mélanger délicatement dans un saladier. Pour la sauce, laver, puis essuyer le céleri, avant de le râper très fin. Laver, bien égoutter et couper la ciboulette très menu. Passer le cresson sous l'eau froide, laisser égoutter avant de détacher les feuilles. Déposer ces trois derniers ingrédients dans un récipient, puis ajouter la moutarde, l'huile et le jus de citron. Bien mélanger. Assaisonner avec du sel, du poivre, de la poudre d'ail, de la sauce Worcester et du sucre. Servir la salade et la sauce séparément. Chaque convive fait son mélange dans son assiette.

Préparation : 15 minutes.
Réalisation : 10 minutes.
Environ 105 calories/439 joules.

Servir avec des plats de viandes grillées, du poisson frit ou grillé ou encore le soir, avec un repas froid. Cette salade convient en outre parfaitement pour une soirée-salade.

SALADE DE CRESSON

4 bottes de cresson
8 cuillerées à soupe de crème fraîche (80 g)
4 cuillerées à soupe d'huile (40 g)
1 oignon (40 g), jus d'1 citron
2 cuillerées à soupe de vin blanc
sel, poivre blanc
2 cuillerées à café de sucre (10 g)
½ bouquet de persil
2 brins de fenouil
Pour la décoration :
½ botte de radis, 1 oeuf dur

Trier le cresson avant de le laver rapidement à l'eau froide. Faire égoutter dans une passoire. Dans un saladier, mélanger la crème fraîche et l'huile. Eplucher et hacher très finement l'oignon, avant de l'ajouter à la sauce en même temps que le jus de citron et le vin blanc. Assaisonner avec du sel, du poivre et du sucre. Passer le persil et le fenouil sous l'eau froide avant de les sécher avec du papier absorbant. Couper fin et mélanger avec la sauce.

Déposer le cresson dans un saladier. Arroser avec la sauce. Brasser délicatement. Pour la décoration, éliminer les tiges et les radicelles des radis, avant de les passer sous l'eau froide et de les essuyer avec du papier absorbant. Couper en rondelles. Eplucher et hacher grossièrement l'oeuf dur. Répandre sur la salade, au milieu des rondelles de radis.

SALADE DE BETTERAVES ROUGES A LA CREME DE RAIFORT

1 bocal de betteraves rouges en conserves (470 g)
2 pommes acides (250 g), 1 bouquet de ciboulette
1/8 l de crème fraîche, 1 cuillerée à soupe de jus de citron 1 cuillerée à soupe de raifort râpé en conserve (20 g)
1/2 cuillerée à café de moutarde, sel, sucre

Faire égoutter la betterave avant de la découper en petits bâtonnets. Eplucher et partager les pommes avant de les débarasser de leur coeur et de les couper à leur tour en petits bâtonnets.

Battre la crème fraîche jusqu'à ce qu'elle devienne très ferme. Dans un autre récipient, mélanger ensemble le jus de citron, la moutarde, le sel et le sucre. Incorporer la crème fraîche. Assaisonner, avant de verser sur le mélange de betterave rouge et de pomme. Brasser délicatement. Laver, bien égoutter et couper la ciboulette très menu, afin d'en parsemer la salade. Servir immédiatement.

Préparation : 15 minutes.

Réalisation : 10 minutes.

Environ 155 calories/648 joules.

Servir avec de la viande de boeuf bouillie ou de la langue salée.

SALADE D'OIGNONS

500 g de petits oignons, 1 l d'eau
sel, jus d'½ citron
Pour la sauce :
2 cuillerées à soupe de crème fraîche
3 cuillerées à soupe de vinaigre de vin
4 cuillerées à soupe d'huile (40 g)
½ cuillerée à café de moutarde
sel, poivre blanc, 1 pincée de sucre
Pour la décoration :
2 tomates (80 g), ½ bouquet de persil

Eplucher les oignons. Dans un grand récipient, porter à ébullition l'eau additionnée de sel et de jus de citron avant d'y plonger des oignons. Laisser cuire 2 minutes, puis égoutter et laisser refroidir. Mélanger ensemble la crème fraîche, le vinaigre, l'huile et la moutarde. Assaisonner avec du sel, du poivre et du sucre. Ajouter les oignons. Laisser macérer pendant 20 minutes en couvrant bien, puis présenter dans un saladier. Peler, couper et épépiner les tomates. Oter la base des tiges, laver, égoutter et réduire le persil et petits bouquets. Garnir la salade d'oignons de quartiers de tomates et de persil.

Préparation : 30 minutes.

Réalisation : 10 minutes sans le temps de faire macérer.

Environ 150 calories/628 joules.

Servir avec de la pizza, du rôti de boeuf, du gigot d'agneau ou encore avec une assiette de charcuterie et du pain noir.

SALADE DE POIVRON AU THON

200 g de riz long, 2 l d'eau, sel
2 poivrons verts, 2 poivrons rouges (600 g chacun)
2 boîtes de thon à l'huile (200 g chacune)
1 oignon (40 g), 1 bouquet de persil
4 cuillerées à soupe de mayonnaise (80 g)
1 cuillerée à soupe de jus de citron
sel, poivre blanc, poudre dail
thym séché en poudre, noix de muscade râpée
2 oeufs durs, 10 olives fourrées au paprika en conserve (30 g)

Laver soigneusement le riz. Porter l'eau à ébullition dans un grand récipient. Jeter le riz et le sel en pluie dans l'eau bouillante, puis laisser cuire sur feu doux pendant 15 minutes. Verser dans une passoire avant de rincer le riz à l'eau froide, faire bien égoutter. Nettoyer et laver les poivrons avant de les couper en lamelles fines et courtes. Ouvrir les boîtes de thon. Vider l'huile dans un saladier. Eplucher et hacher l'oignon. Laver, égoutter et hacher le persil. Mélanger l'oignon et le persil avec l'huile du thon, de même que la mayonnaise et le jus de citron. Assaisonner avec du sel, du poivre, de la poudre d'ail, du thym et de la noix de muscade. Ajouter le riz et les poivrons. Bien mélanger, avant de compléter par le thon réduit en miettes. Laisser reposer pendant 30 minutes au réfrigérateur en couvrant bien. Eplucher les oeufs avant de les couper en quatre dans le sens de la longueur. Servir la salade garnie de quartiers d'œufs et de moitiés d'olives.

Préparation : 15 minutes.

Réalisation : 20 minutes sans le temps de faire macérer.

Environ 590 calories/2469 joules.

SAUCES

SAUCE VERTE AU BEURRE

30 g de beurre ou de margarine
sel, vinaigre
1 cuillerée à café de cerfeuil
autant de cresson
1 pincée de fenouil, autant de bourrache

Faire fondre le beurre ou la margarine jusqu'à ce qu'il devienne liquide, mais sans brunir. Assaisonner avec du sel et du vinaigre. Ajouter les fines herbes après les avoir lavées, égouttées et coupées très fin. Servir immédiatement. Préparation : 10 minutes, Réalisation : 5 minutes. Environ 60 calories/251 joules.

Avec quoi servir? Il n'existe à vrai dire pas de plats que cette sauce ne puisse accompagner. Non seulement elle est délicieuse au goût, mais elle contient en outre une quantité importante de vitamines. A condition toutefois que l'on dispose d'herbes fraîches.

MAYONNAISE AU FENOUIL

100g de mayonnaise ½ pot de yaourt
1 cuillerée à café de vinaigre à l'estragon
1 bonne cuillerée à café de sucre
sel, 1 cuillerée à soupe de fenouil haché

Mélanger la mayonnaise avec le yaourt et le vinaigre à l'estragon. Assaisonner avec du sucre et du sel. Compléter pour finir par le fenouil haché.
Préparation : 5 minutes.
Réalisation : 10 minutes.
Environ 610 calories/1550 joules.
Avec quoi servir ? Avec toutes les viandes grillées ou légèrement rôties, avec la fondue bourguignonne.

SAUCE AU VINAIGRE ET AUX FINES HERBES

I oeuf dur, I petit oignon
I sachet de petites câpres, 3 cuillerées à soupe de fines herbes hachées
½ bouquet de ciboulette, autant de persil, I brin d'estragon,
5 brins de fenouil. 5 brins de cerfeuil 3 cuillerées à soupe de vinaigre de vin
6 cuillerées à soupe d'huile
½ cuillerée à café de moutarde
sel, poivre

Eplucher l'oeuf dur, avant de le laisser refroidir. Puis couper le blanc et le jaune en très petits morceaux. Même opération avec l'oignon. Faire égoutter les câpres, avant de les mélanger avec les petits morceaux de blanc d'oeuf, d'oignon et les fines herbes hachées. Battre ensemble le vinaigre, l'huile et la moutarde. Saler, poivrer. Mélanger avec les autres ingrédients, puis ajouter le jaune d'oeuf. Ne pas brasser, sinon la vinaigrette se brouille.

Préparation : 10 minutes.
Réalisation : 5 minutes.
Environ 175 calories/732 joules.
Avec quoi servir ? Avec du rôti froid ou du poisson. Cette préparation peut être utilisée en vinaigrette avec des artichauts, de la viande en gelée, des asperges froides, de la tête de veau ou de la viande de boeuf bouillies; elle peut aussi faire partie des sauces qui accompagnent la fondue bourguignonne. Enfin, elle assaisonne à merveille la salade.

La sauce doit être épaisse, mais suffisamment claire pour qu'on puisse en distinguer chaque ingrédient.

CREME DE CURRY

I oignon moyen, 30 g de margarine
2 cuillerées à café de poudre de curry
30g de farine,
¼ I de bouillon de poule clair (tout prêt)
I cuillerée à soupe de compote de pomme,
sel, poivre, sucre, I pincée de sel à l'ail
¼ I de crème fraîche
I jaune d'oeuf

Eplucher l'oignon avant de le hacher finement et de le faire revenir dans la margarine chaude. Ajouter la poudre de curry. Saupoudrer de farine. Laisser bien cuire, avant de verser le bouillon de poule. Porter à ébullition pendant trois minutes en remuant continuellement, puis mélanger la compote de pommes. Assaisonner avec du sel, du poivre, du sucre et du sel à l'ail. Retirer la casserole du feu. Battre ensemble la crème fraîche et le jaune d'oeuf, avant de les incorporer à la sauce. Goûter. Servir immédiatement, sinon il se forme une petite peau à la surface.

Préparation : 10 minutes.
Réalisation : 15 minutes.
Environ 200 calories/835 joules.
Servir avec du poisson cuit à l'étuvée, des volailles grillées ou rôties. Cette sauce convient également aux asperges et aux brocolis.

SAUCE AU FENOUIL

I bouquet de fenouil, 30g de margarine
30g de farine,
1/2 I de bouillon de viande en cubes
sel, I jaune d'oeuf
3 cuillerées à soupe de crème fraîche

Laver le fenouil avant de le hacher finement et d'en jeter la moitié dans la margarine chaude. Saupoudrer de farine. Faire bien cuire, avant de verser le bouillon de viande chaud en remuant continuellement. Porter à ébullition. Saler. Battre ensemble le jaune d'oeuf et la crème fraîche. Retirer la sauce du feu, avant d'y incorporer le mélange de crème fraîche et de jaune d'oeuf. Ne pas faire cuire la sauce à nouveau! Compléter par le reste du fenouil. Servir chaud.

Préparation : 5 minutes.
Réalisation : 15 minutes.
Environ 125 calories/525 joules.
Avec quoi servir ? La sauce au fenouil convient particulièrement bien au poisson bouilli ou étuvé, à la viande de boeuf bouillie ou aux oeufs pochés.

MARINADE A L'AIL

3 gousses d'ail, sel
6 cuillerées à soupe d'huile
3 cuillerées à soupe de vinaigre aux fines herbes
poivre blanc fraîchement moulu
¼ bouquet de persil
autant de cerfeuil et de fenouil
¼ botte de cresson

Eplucher les gousses d'ail avant de les couper en tranches. Saupoudrer de sel puis écraser avec la lame d'un couteau utilisée à plat. Déposer dans un saladier de porcelaine. Verser l'huile et le vinaigre aux fines herbes, Moudre un peu de poivre blanc au-dessus du saladier. Bien battre le mélange avec une fourchette. Laisser macérer la sauce pendant 3 heures en couvrant bien. Puis passer la marinade, avant d'y incorporer les herbes préalablement lavées, égouttées et finement hachées.
Préparation : 5 minutes sans le temps de faire mariner.
Réalisation : 5 minutes. Environ 145 calories/607 joules.

Cette sauce s'harmonise très bien avec les salades de tomates, de poivrons, de chicorée, de haricots verts, de même qu'avec les salades vertes de toutes sortes, les artichauts ou les oeufs durs coupés par moitiés.

SAUCE AU CURRY

I petit oignon, I gousse d'ail
sel, 30 g de margarine
I pomme Lucide, I cuillerée à café de concentré de tomates
30 g de farine
½ I de bouillon de viande
I cuillerée à soupe de noix de coco râpée
2 cuillerées à café de curry, sel

Eplucher et couper l'oignon en petits morceaux. Peler la gousse d'ail avant de l'écraser avec du sel. Faire revenir l'ail et l'oignon dans la margarine chaude. Eplucher la pomme, enlever le coeur, réduire en tout petits dés que l'on joint au reste.

Incorporer le concentré de tomates. Saupoudrer de farine et laisser cuire. Verser peu à peu le bouillon de viande sur ce mélange. Laisser mijoter pendant 5 minutes, avant d'ajouter la noix de coco râpée. Assaisonner avec du sel et du curry.
Préparation : 10 minutes.
Réalisation : 55 minutes.
Environ 145 calories/605 joules.
Servir avec des oeufs pochés, du poisson et des volailles.

SAUCE AUX POMMES ET AU GINGEMBRE

250 g de compote de pommes en conserve
3 cuillerées à soupe de mayonnaise (60 g)
2 morceaux de gingembre confit,
gingembre moulu

Bien mélanger la compote de pommes et la mayonnaise. Ajouter le gingembre confit après l'avoir finement haché. Parfumer avec du gingembre en poudre. Servir froid.
Préparation : 5 minutes.
Réalisation : 10 minutes.
Environ 120 calories /502 joules.
Avec quoi servir ? La sauce aux pommes et au gingembre convient à merveille au gibier rôti, que l'on peut déguster aussi bien chaud que froid.

SAUCE A L'AIL CHAUDE

5 gousses d'ail, 3 échalotes (40 g)
50g de champignons frais
3 cuillerées à soupe d'huile (30 g)
20g de farine
¹/₈ I de bouillon de viande en cubes
I verre de vin blanc, sel, poivre blanc ¼ cuillerée à café d'origan
un peu de sauce Worcester

Eplucher les gousses d'ail et les échalotes. Hacher finement les échalotes. Nettoyer, laver, égoutter et hacher les champignons. Faire chauffer l'huile dans une casserole, avant d'y jeter les gousses d'ail entières, les échalotes et les champignons hachés. Faire revenir pendant 3 minutes sur feu moyen en remuant continuellement. Saupoudrer de farine. Laisser dorer, puis verser le bouillon de viande et le vin blanc sans cesser de remuer. Assaisonner avec du sel, du poivre et de l'origan. Laisser doucement mijoter la sauce pendant 10 minutes. Retirer alors les gousses d'ail. Parfumer avec un peu de sauce Worcester. Servir immédiatement.

Préparation : 15 minutes,.
Réalisation : 40 minutes.
Environ 115 calories/481 joules.
Servir avec de la viande grillée, steaks, escalopes ou côtelettes.

SAUCE ITALIENNE AUX POIVRONS

1 oignon (40 g), 1 gousse d'ail
100 g de lard gras
2 poivrons verts (250 g), 4 tomates (160 g)
sel, poivre blanc
40 g de fromage de chèvre passé
ou de parmesan râpé

Eplucher et hacher l'oignon et la gousse d'ail. couper le lard en très petits morceaux. Partager, nettoyer, laver et couper les poivrons en tout petits dés. Déposer le lard, l'oignon et l'ail ensemble dans une casserole. Faire dorer pendant 5 minutes, avant d'ajouter les dés de poivron, puis les tomates préalablement pelées, épépinées, partagées en quatre et débarrassées de la base de leurs tiges. Laisser mijoter pendant 25 minutes sur feu moyen en couvrant bien. Saler, poivrer. Incorporer le fromage avant de servir.

Préparation : 10 minutes.
Réalisation : 35 minutes.
Environ 290 calories/1213 joules.

SAUCE A LA MOUTARDE

½ bouquet de fenouil,
1 tube de moutarde douce (95 g)
¼ l de crème fraîche
1 pot de yaourt (175g)
sel, poivre de Cayenne

Passer le fenouil sous l'eau froide avant de l'égoutter et de le couper menu. Mélanger ensemble dans un saladier la moutarde, la crème fraîche et le yaourt. Incorporer le fenouil et bien relever le tout avec du sel et du poivre de Cayenne.

Préparation : 5 minutes.
Réalisation : 5 minutes.
Environ 160 calories/669 joules.
Servir avec du poisson frit ou bouilli, des oeufs farcis, du saumon fumé, des assiettes de charcuterie ou encore en sauce avec une salade de concombre.

SAUCE AUX FINES HERBES

60 g de champignons frais
20 g de margarine
1/4 l de bouillon de viande en cubes
1 cuillerée à soupe de fécule (10g),
$^1/_8$ de lait
1 jaune d'oeuf
3 cuillerées à soupe de crème fraîche
sel, poivre blanc, écorce râpée d'½ citron
½ bouquet de persil, autant de ciboulette, de
cerfeuil et de fenouil
4 feuilles de bourrache, 2 brins d'estragon frais ou
½ cuillerée à café d'estragon en poudre

Nettoyer, laver, égoutter et hacher les champignons. Faire chauffer la margarine dans une casserole, Faire revenir les champignons pendant 3 minutes. Verser le bouillon de viande. Porter à ébullition. Dans un saladier, battre ensemble la fécule, le lait, le jaune d'oeuf et la crème fraîche, avant de les ajouter dans la casserole. Porter à ébullition sans cesser de remuer, puis retirer la casserole du feu. Assaisonner avec du sel, du poivre et le zeste de citron. Laver les fines herbes avant de les sécher avec du papier absorbant et de les hacher très fin. Ecraser l'estragon séché entre ses doigts. Mélanger toutes ces herbes à la sauce. Faire réchauffer, mais sans laisser bouillir. Laisser reposer pendant 5 minutes. Ne pas porter à ébullition : les fines herbes y perdraient leur arôme et leur couleur.

Préparation : 15 minutes.
Réalisation : 10 minutes.
Environ 105 calories/439 joules.
Servir avec de la viande ou du poisson bouillis ou étuvés, avec des fricandeaux ou des oeufs durs.

SAUCE AUX TOMATES ET A L'AIL

*1 oignon (40 g) 3 gousses d'ail, sel
1 poivron vert (100 g)
2 cuillerées à soupe d'huile (20 g)
1 cuillerée à soupe de farine (15 g)
375 g de tomates,
1 cuillerée à café de jus de citron
½ cuillerée à café de romarin séché
autant de thym et de basilic, poivre de Cayenne
3 cuillerées à soupe de bouillon de viande en cubes
$^1/_8$ l de crème fraîche*

Eplucher l'oignon et l'ail. Hacher finement l'oignon, écraser l'ail avec du sel. Partager les poivrons en deux avant de les nettoyer, de les laver et de bien les faire sécher. Couper en fines lamelles. Faire chauffer l'huile dans une casserole. Faire dorer l'oignon pendant 1 minute, puis saupoudrer de farine, laver et coupe r les tomates sans oublier d'ôter la base des tiges. Déposer les morceaux dans la casserole. Assaisonner avec du jus de citron, du romarin, du thym, du basilic

et du poivre de Cayenne. Verser le bouillon de viande et laisser cuire sur feu moyen pendant 15 minutes. Réduire la sauce en purée à l'aide d'un mixeur ou d'un batteur électrique. Passer la purée ainsi obtenue. Battre la crème fraîche jusqu'à ce qu'elle devienne bien ferme, avant de l'incorporer à la sauce. Réchauffer le tout en veillant à ne pas faire bouillir. Goûter et servir aussitôt.

Préparation : 20 minutes.
Réalisation : 30 minutes.
Environ 185 calories/774 joules.
Servir avec des spaghetti, de la viande de veau grillée ou des côtelettes d'agneau.

SAUCE AU POIVRE

2 petits oignons (70 g)
1 carotte (80 g), ¼ céleri-rave (80 g)
1 brin de poireau (120 g), 1 brin de persil
40 g de margarine, ¼ l de vin blanc
¼ l de bouillon de viande en cubes
2 cuillerées à soupe de vinaigre
1 feuille de laurier
1 brin de thym frais
ou 1 pincée de thym séché 1 sachet de sauce
rouille (toute prête)
¼ l d'eau
1 cuillerée à soupe de grains de poivre noir écrasés
25 g de margarine

Eplucher et émincer les oignons. Eplucher, laver et sécher la carotte et le céleri, avant de les couper en petits morceaux. Nettoyer le poireau, avant de le couper en deux dans le sens de la longueur, de le passer sous l'eau froide et de le laisser égoutter. Couper en tranches de 2 mm de large. Laver le persil avant de le séparer en petits bouquets. Faire chauffer la margarine dans une casserole. Faire revenir les légumes pendant 5 minutes, puis verser le bouillon de viande, le vin blanc et le vinaigre. Ajouter la feuille de laurier et le thym, frais ou séché. Faire réduire des 2/3 en laissant mijoter pendant 30 minutes sur un feu très doux sans couvrir la casserole. Diluer la sauce rouille avec l'eau dans un bol, avant de la verser dans la sauce en même temps que les grains de poivre. Laisser mijoter pendant 10 minutes. Passer la sauce, avant de la porter une nouvelle fois à ébullition. Assaisonner et affiner le goût avec un peu de margarine.

SAUCE A L'AIL ET AUX ANCHOIS

½ l d'huile, 50 g de margarine
3 gousses d'ail, sel
1 truffe blanche en conserve (30 g)
4 filets d'anchois en conserve (30 g)
½ l de crème fraîche

Faire chauffer l'huile et la margarine dans une casserole. Eplucher les gousses d'ail avant de les écraser avec du sel et de les ajouter dans la casserole. Couper la truffe bien égouttée en fines tranches que l'on dépose également avec le reste. Faire rapidement revenir le tout, avant de compléter par les filets d'anchois écrasés. Retirer la casserole du feu. Dans un saladier, battre la crème fraîche. Verser peu à peu la sauce à l'ail et aux anchois sur la crème. Mélanger, puis remettre le tout dans la casserole. Réchauffer sans cesser de remuer. Servir très chaud.

Préparation : 10 minutes.
Réalisation : 15 minutes,
Environ 375 calories/1570 joules.
Servir avec du céleri-rave, des brocolis ou comme sauce pour tremper les feuilles d'artichauts.

SOUPES

SOUPE A L'OIGNON A LA MODE DE COLOGNE

500 g d'oignons
40 g de margarine
250 g de grosse saucisse
¼ l de bouillon de viande en cubes
I conserve de pommes de terre (500 g)
sel, poivre blanc, I bouquet de persil

Cette soupe à l'oignon n'a rien de commun avec la soupe à l'oignon française. Elle ressemble plutôt à une potée. La saucisse en relève fortement le goût. Eplucher et émincer les oignons. Faire chauffer la margarine dans une casserole. Faire revenir les oignons en remuant continuellement. Couper la saucisse en morceaux de 2 cm de côté que l'on fait revenir pendant 5 minutes dans la casserole avec les oignons. Verser le bouillon de viande chaud. Faire cuire la soupe pendant 10 minutes, avant d'ajouter les morceaux de pommes de terre soigneusement égouttés. Faire réchauffer pendant 5 minutes Saler, poivrer. Servir la soupe parsemée de persil lavé et haché.
Préparation : 25 minutes.
Réalisation : 30 minutes.
Environ 595 calories/2490 joules.
Accompagnement : petits pains frais.

SOUPE A L'OIGNON PAYSANNE

1000 g d'oignons
2 cuillerées à soupe de margarine
sel, poivre
I 1/2 l de bouillon de viande en cubes
I bouquet de persil
I bouquet de ciboulette

Eplucher les oignons avant de les émincer et de les faire revenir dans la matière grasse chaude. Ne pas les laisser brunir. Saler et poivrer. Ajouter le bouillon de viande chaud. Laisser cuire pendant 30 minutes, puis goûter, bien remuer. Hacher le persil et la ciboulette. Répandre à la surface de la soupe. Servir très chaud.
Préparation : 10 minutes.
Réalisation : 30 minutes.
Environ 229 calories/959 joules.
Accompagnement : pain de campagne.

SOUPE A L'OIGNON A LA MODE DE BADE

500 g d'oignons, 40 g de margarine
15 g de farine, sel, poivre blanc
I l de bouillon de viande
(de fabrication maison ou en cubes)
2 tranches de pain de mie (40 g)
20 g de margarine
2 jaunes d'oeufs
I verre de vin blanc sec ($^1/_{10}$ l)
4 cuillerées à soupe de crème fraîche (60 g)
sel, poivre blanc
½ bouquet de persil, autant de ciboulette

Eplucher les oignons avant de les couper en anneaux de 2 mm d'épaisseur. Faire chauffer la margarine dans une casserole. Faire revenir les oignons pendant 3 minutes, avant de saupoudrer de farine. Laisser cuire pendant 1 minute en remuant continuellement. Puis verser le bouillon de viande chaud. Assaisonner avec du sel et du poivre. Laisser cuire pendant 20 minutes. Pendant ce temps enlever la croûte des tranches de pain de mie que l'on découpe en morceaux de 1 cm de côté. Faire chauffer de la margarine dans une poêle. Faire dorer les croûtons de pain pendant 5 minutes dans la poêle. Retirer du feu. Dans un bol, battre ensemble le jaune d'œuf, le vin blanc et la crème fraîche. Saler et poivrer. Laver le persil et la ciboulette à l'eau froide, avant de les égoutter soigneusement. Hacher le persil, couper la ciboulette très menu. Retirer la soupe à l'oignon du feu, avant d'y incorporer le mélange à base de jaune d'oeuf. Laisser reposer la soupe pendant 2 minutes en couvrant bien. Présenter dans une terrine préalablement chauf-fée. Parsemer de croûtons de pain grillés et de fines herbes hachées. Servir immédiatement.

Préparation : 30 minutes.

Réalisation : 35 minutes.

Environ 340 calories/1423 joules.

Quand servir ? En entrée ou le soir, comme plat léger, accompagné de pain et de charcuterie, ou encore à minuit, en guise de souper.

SOUPE AU CONCOMBRE ET AU FENOUIL

1 gros concombre
30 g de margarine
1 l de bouillon de viande en cubes
30 g de farine
1 jaune d'œuf
$^1/_8$ l de crème fraîche
sel, poivre blanc, un peu de romarin
1 bouquet de fenouil ou
3 cuillerées à soupe de pointes de fenouil séchées
jus d'½ citron, 1 pincée de sucre

Laver et peler le concombre avant de le couper en très petits morceaux. Faire chauffer la margarine, faire revenir rapidement les petits dés de concombre, avant de verser le bouillon de viande chaud. Diluer la farine dans un peu d'eau froide. S'en servir pour lier la soupe. Laisser cuire pendant 3 minutes, puis retirer la casserole du feu. Mélanger le jaune d'oeuf avec un peu de soupe et la crème fraîche. Verser le tout dans la casserole. Assaisonner avec du sel, du poivre et du romarin. Laver, égoutter et hacher finement le fenouil (conserver quelques brins de côté pour la décoration). Jeter le fenouil dans la soupe. On fera cuire le fenouil séché quelques instants dans le potage. Parfumer avec le jus de citron et le sucre. Servir parsemé de fenouil.

Préparation : 15 minutes.

Réalisation : 20 minutes.

Environ 215 calories/900 joules.

CREME D'OIGNONS

750 g d'oignons, 50 g de lard maigre
¼ l d'eau chaude, sel
I pincée de sucre, 30 g de margarine
30 g de farine,
½ l de bouillon de viande en cubes
¹/₈ l de lait, autant de crème fraîche
I jaune d'œuf, poivre blanc
2 tranches de pain de mie (40 g)
20 g de margarine

Eplucher les oignons avant de les couper en anneaux. Réduire le lard en petits dés que l'on fait revenir dans une casserole. Ajouter les oignons, faire revenir pendant 3 minutes, jusqu'à ce qu'ils deviennent transparents. Verser l'eau chaude. Saler et sucrer. Laisser cuire pendant 20 minutes en couvrant bien. Passer les oignons, recueillir la purée dans une casserole que l'on place au chaud. Faire chauffer la margarine. Saupoudrer de farine, laisser bien cuire. Ajouter la purée d'oignons, ainsi que le bouillon de viande chaud et le lait, en remuant continuellement. Laisser cuire pendant 2 minutes, puis retirer la casserole du feu. Dans un bol, battre ensemble la crème fraîche, le jaune d'oeuf et un peu de soupe, avant de les incorporer au reste de la soupe. Faire réchauffer, mais sans laisser bouillir. Assaisonner avec du sel, du poivre et du sucre. Entre-temps, débarrasser les tranches de pain de leur croûte, avant de les couper en morceaux d'½ cm de côté. Faire chauffer la margarine dans une poêle, avant d'y jeter les croûtons que l'on fait dorer pendant 5 minutes environ. Verser la crème d'oignons dans une terrine préalablement chauffée. Servir parsemée de croûtons grillés.
Préparation : 25 minutes.
Réalisation : 35 minutes.
Environ 410 calories/1716 joules.
Servir en entrée ou à minuit en guise de souper.

SOUPE A L'AIL

2 gousses d'ail, sel
4 oeufs, I l de bouillon de viande en cubes
4 cuillerées à soupe de cognac
½ bouquet de persil

Eplucher les gousses d'ail avant de les écraser avec du sel. Casser un oeuf dans chaque assiette à soupe. Ajouter l'ail écrasé. Dans une casserole, porter le bouillon de viande à ébullition. Parfumer avec du cognac. Verser le liquide sur les oeufs. Bien mélanger le tout. Passer le persil sous l'eau froide, avant de le sécher, de le hacher très fin et de le répandre sur la soupe. Servir immédiatement.
Préparation : 10 minutes.
Réalisation : 5 minutes.
Environ 155 calories/649 joules.
Servir avec du pain grillé pour un repas rapide et léger.

SOUPE EGYPTIENNE AUX FINES HERBES

I poule de 1200 g prête à cuire
I 1/2 l d'eau, sel,
I bouquet de légumes pour la soupe
150 g d'épinards frais
1/2 cuillerée à café de basilic séché
sel, poivre blanc, 2 gousses d'ail
I oignon (40 g), 2 cuillerées à soupe d'huile (20 g)
I boîte de concentré de tomates (70 g)
I cuillerée à soupe rase de coriandre en poudre

Retirer de l'intérieur de la poule le sachet contenant les abats. Laver la volaille à grande eau, intérieur et extérieur, avant de la plonger avec l'eau et le sel dans un grand récipient. Porter à ébullition, puis laisser cuire doucement pendant 90 minutes. 60 minutes avant la fin du temps de cuisson, ajouter les légumes préalablement lavés, nettoyés et coupés en morceaux. Ecumer la soupe de temps en temps au cours de la cuisson. Retirer la poule une fois cuite, débarrasser la volaille de sa peau, détacher la chair des os. Couper la viande en morceaux de la taille d'un bouchée, que l'on dispose sur une assiette et que l'on place au chaud. Filtrer le bouillon à travers une passoire très fine ou une mousseline. Entre-temps, trier les épinards avant de les laver soigneusement. Faire égoutter dans une passoire, puis couper très menu ou hacher. Porter le bouillon à ébullition, avant d'y plonger les épinards et le basilic. Saler et poivrer. Laisser cuire pendant 5 minutes. Les épinards doivent complètement «retomber». Pendant ce temps, éplucher les gousses d'ail et l'oignon, avant de les hacher très finement. Faire chauffer l'huile dans une casserole. Faire revenir l'ail et l'oignon, avant d'ajouter le concentré de tomates et le coriandre. Laisser cuire pendant I minute, puis mélanger au reste de la soupe. Faire cuire ànouveau pendant 2 minutes sur feu doux. Assaisonner enfin avec du sel et du poivre. Servir très chaud. Apporter la viande de la poule à part sur la table.

Préparation : 10 minutes.
Réalisation : 120 minutes.
Environ 470 calories/1976 joules.
Accompagnement : riz nature.

En Egypte, on accompagne la soupe non seulement de viande de poule, mais aussi de viande de volailles sauvages.

SOUPE A L'OIGNON PARISIENNE

350 g d'oignons, 50g de margarine
1 l de bouillon de viande en cubes
4 baies de genièvre, ¼ l de vin blanc sec
sel, poivre noir fraîchement moulu
8 tranches de baguette fines (80 g)
75 g d'emmenthal râpé

Eplucher les oignons avant de les couper en dés grossiers. Faire chauffer la margarine dans une casserole. Faire revenir les oignons en remuant continuellement. Arroser avec le bouillon de viande chaud. Ajouter les baies de genèvre. Laisser cuire sur feu doux pendant 20 minutes, avant de retirer les baies. Verser le vin blanc sur les oignons. Bien relever le goût avec du sel et du poivre. Tenir chaud, mais sans laisser bouillir. Beurrer généreusement les tranches de pain. Verser la soupe dans quatre tasses en porcelaine à feu. Déposer délicatement les tranches de pain à la surface. (Elles ne doivent pas tomber au fond des tasses.) Parsemer de fromage râpé et glisser pendant quelques instants sous le grill du four ou dans le four lui-même (250°C pour un four électrique, thermostat 6-8 pour un four àgaz). Faire gratiner pendant 5 minutes. Le fromage doit fondre sans roussir. Servir immédiatement.

Préparation : 15 minutes.
Réalisation : 35 minutes.
Environ 340 calories/1423 joules.

Si l'on veut préparer une soupe aux oignons particulièrement savoureuse, on peut utiliser du bouillon de viande fait maison au lieu du bouillon en cubes.

SOUPE AU PAPRIKA

4 cuillerées à soupe d'huile
200 g d'oignons, 400 g de poivrons verts
200 g de tomates,
1 l de bouillon de viande en cubes
3 cuillerées à soupe de concentré de tomates
sel, poivre blanc
1 cuillerée à soupe de paprika doux
¼ de cuillerée à café d'origan
autant de basilic séché
1 pincée de sucre, 20 g de margarine
20 g de farine, 4 cuillerées à soupe de crème
fraîche (80 g)
½ bouquet de persil haché

Faire chauffer l'huile dans une casserole. Eplucher et émincer les oignons. Faire revenir dans l'huile pendant 5 minutes. Partager, laver et égoutter les poivrons avant de les couper en petits morceaux. Laver les tomates, ôter la base des tiges, couper en petits morceaux. Déposer les poivrons et les tomates dans la casserole. Laisser cuire à l'étuvée pendant 10 minutes en couvrant bien le récipient, puis verser le bouillon de viande chaud, porter à ébullition et laisser cuire sur feu moyen pendant 30 minutes. Ajouter le concentré de tomates, le sel, le poivre, le paprika, l'origan, le basilic et le sucre. Bien mélanger. Porter une nouvelle fois à ébullition, puis passer la soupe. Faire fondre la margarine dans une autre casserole. Saupoudrer de farine. Faire cuire la farine en remuant continuellement. Verser lentement la soupe sur ce mélange. Faire bouillir vivement pendant 3 minutes. Partager entre quatre assiettes. Déposer au milieu de chaque assiettée une cuillerée à soupe de crème fraîche. Parsemer de persil haché.

Préparation : 15 minutes.
Réalisation : 65 minutes.
Environ 295 calories/1234 joules.
Servir en entrée pour un repas léger ou à midi, comme plat unique et rapide, ou encore à minuit, en guise de souper.

SOUPE AU PERSIL

Pour le bouillon de viande :
250 g de viande de boeuf à braiser (plat-de-côte)
1 os à moelle (100 g)
1 bouquet de légumes pour la soupe (180 g)
1 oignon (40 g), 2 clous de girofle
½ feuille de laurier, 4 grains de poivre
sel, 1 l d'eau
Pour la soupe :
1 bouquet de persil
2 brins de cerfeuil, 40 g de margarine
40 g de farine, 1 petit pot de crème fraîche (100 g)
1 jaune d'oeuf, sel, poivre blanc
1 pincée de noix de muscade
1 bouquet de persil, 4 œufs durs

Pour le bouillon de viande, laver la viande de boeuf et l'os à moelle avant de les déposer dans un grand récipient. Laver les légumes avant de les couper en petits morceaux. Eplucher les oignons dans lesquels on pique les clous de girofle et la feuille de laurier. Déposer les légumes et l'oignon dans la casserole en même temps que les grains de poivre et le sel. Recouvrir d'eau. Laisser cuire sur feu doux pendant 1 heure en couvrant bien. Ecumer de temps en temps, puis passer le bouillon. Pour la soupe, passer le persil et le cerfeuil sous l'eau froide, avant de les sécher et de les hacher finement. Faire chauffer la margarine dans une casserole. Ajouter les fines herbes et la farine. Faire cuire en remuant continuellement. Verser le bouillon de viande, puis porter à ébullition. On peut ensuite ajouter à la soupe les morceaux de viande. Dans un bol, battre ensemble la crème fraîche, le jaune d'oeuf et un peu de soupe. Retirer la soupe du feu, avant d'y incorporer ce mélange. Assaisonner avec du sel, du poivre et de la noix de muscade. Maintenir la soupe chaude, mais sans la laisser bouillir à nouveau. Laver, sécher et hacher finement le persil. Eplucher les oeufs durs avant de les couper en quatre dans le sens de la longueur. Déposer un oeuf dans chacune des assiettes à soupe, puis verser la soupe par-dessus. Parsemer d'une bonne quantité de persil et servir.

Préparation : 15 minutes.
Réalisation : 85 minutes.
Environ 305 calories/1276 joules.

SOUPE A L'AIL ET AUX RAISINS

500 g de raisins rouges
30 g de margarine, 2 gousses d'ail
30g de farine
½ l de bouillon de viande en cubes
sel, poivre blanc
jus d'½ citron ¼ l de vin blanc
I verre de Madère (2 cl)
$^1/_8$ l de crème fraîche

Laver et égoutter les grappes de raisins avant
de détacher les grains de leurs tiges. Peler et
épépiner les graines. Faire chauffer la margarine
dans une casserole. Eplucher les gousses d'ail
avant de les hacher finement et de les déposer
dans la casserole. Saupoudrer de farine et laisser
cuire quelques intants. Ajouter le bouillon de
viande en remuant continuellement. Assaisonner avec du sel, du poivre et du jus de citron.
Porter à ébullition. Compléter par le vin blanc
et le Madère. Faire réchauffer, mais sans bouillir.
Battre la crème fraîche avant de l'incorporer
à la soupe. Finir par les grains de raisin. Servir
chaud.
Préparation : 25 minutes.
Réalisation : 15 minutes.
Environ 305 calories/1276 joules.

INDEX DES TERMES LATINS

Dans la collection «Cuisine»